TOXINE

Johan Vandevelde
Toxine

Vanaf 11 jaar

© 2007, Abimo Uitgeverij
Europark Zuid 9, 9100 Sint-Niklaas, België
foon: 03/760.31.00 fax: 03/760.31.09
website: www.abimo.net
e-mail: info@abimo.net

Eerste druk: februari 2007

Cover
Marjolein Hund

Vormgeving
Marino Pollet
[handschrift pagina 56: Mitch Kokke]

NUR 283
D/2007/6699/07
ISBN 9789059323278

TOXINE

JOHAN VANDEVELDE

ABIMO
UITGEVERIJ

[1] Een Paaskonijn

Wat Halloween of Samhain is voor de dood, is Pasen of Ostara voor het leven. Het oude heidense feest viert de vruchtbaarheid en de terugkeer van de lente. Daarom zijn de symbolen van de haas en het ei ook zo belangrijk bij dit feest. Een van die symbolen lag nu voor Yannick op de tafel, op zijn rug en met de poten gespreid. Zijn vader had de langoor net uit de diepvries gehaald. Het was een gewichtige opdracht, had hij er met een lachje aan toegevoegd. Marcel Depoorter, de banketbakker van het dorp, had in de etalage van een bakkerij in de stad een opgezette paashaas zien staan met een jasje aan en een mandje met beschilderde eieren op zijn rug. En natuurlijk wou hij ook zo'n paashaas in zijn winkel, maar hij wilde er niet voor betalen. Hij vond het een geluk dat zijn oude schoolmakker Joris Casteleyns de kunst van de taxidermie beoefende en had hem gevraagd of hij zoiets voor hem in elkaar kon knutselen. Natuurlijk kon hij dat. Van jongs af aan was Yannicks vader in de weer geweest met dode dieren en schedels en hij had het na al die jaren niet afgeleerd. Toch was het opzetten van dieren maar een hobby. In het dagelijks leven was Joris Casteleyns professor *sociaal recht* aan de universiteit. Als je zo'n saai vak doceert, heb je wel een boeiende hobby nodig, vond Yannick. Hij vond het prepareren van dode dieren enorm fascinerend en keek graag toe als zijn vader aan het werk was. Eigenlijk leek het een beetje op het mummificeren van mensen, dat bij de oude Egyptenaren gebruikelijk was. Yannick was dol op de oude Egyptenaren. Hij kon uren zitten lezen in zijn talrijke boeken over archeologie en Egyptologie.

Voor Yannicks tweelingbroer Davy kon papa's hobby hem gestolen worden. Hij hield van snelle auto's en ging vaak naar de stad om dan terug te komen met folders van de nieuwste modellen. Zijn helft van de kamer was helemaal behangen met Porsches, Ferrari's en Lamborghini's en voor zijn verjaardag kreeg hij steevast een modelbouwdoos met een of andere blitse sportauto. Dan kon er op de kamer van de jongens weer eens een strijd losbarsten in de boekenkast, waarin Davy's autootjes langzaamaan Yannicks boeken verdrongen.

De jongen zat op zijn knieën op het krukje naast de tafel, en streelde met zijn vingers door de vacht van het diertje. Het voelde ijskoud aan en de oogjes staarden in het ijle.

'Papa?'

Yannicks vader had net een paar scalpels uit de lade gehaald en legde de mesjes bij het gereedschap, dat al klaar lag.

'Ja, jongen?'

'Dit is geen haas, maar een konijn.'

Papa glimlachte. Je kon Yannick niet veel op de mouw spelden. De jongen wist heel goed dat dit kleinere, gedrongen diertje met de korte oortjes geen haas was.

'De poelier had geen hazen meer. Geen mooie althans. *Marcelleke* merkt dat toch niet. Die is daar te stom voor.'

Yannick grinnikte. Hoewel de bakker het werkje had omschreven als een *vriendendienst*, waren papa en *Marcelleke* Depoorter nooit vrienden geweest. Integendeel. Joris Casteleyns kon zich de dagen dat hij met *Marcelleke* in de klas zat,

6

bijzonder goed voor de geest halen. De bakker was als kind een rotjoch geweest, dat er plezier in had om zwakkere kinderen het leven zuur te maken. Er ging geen week voorbij of Joris Casteleyns kwam met een blauw oog of een kapotte lip naar huis en als zijn moeder hierover bij vader Depoorter ging klagen, stelde ze zich volgens hem alleen maar aan. Het was geen wonder dat haar zoon op zijn kop kreeg, als hij geen vader had om hem te leren vechten.

– TOK – Met een nijdig gebaar plantte Yannicks vader het scalpel in het hout van de werktafel.

'Waarom zeg je hem niet gewoon dat hij kan oprotten met zijn paashaas?' vroeg Yannick, terwijl hij geschrokken naar het scherpe mes in de tafel staarde.

'We zijn nu volwassen en het feit dat hij aan mij heeft gedacht, bewijst dat de tijd dat hij me het leven zuur maakte, ver achter de rug is.'

Voor hem tenminste, dacht Yannick. Het scalpel zat ruim een halve centimeter diep in het hout en de jongen wist dat de geforceerde glimlach van zijn vader slechts schijn was. Net een masker dat een gruwelijk verminkt gezicht verborg voor de buitenwereld. Marcel Depoorter had Yannicks vader niet zomaar gepest. Hij had hem geterroriseerd. Iedere dag weer en opnieuw, tot de elfjarige Joris op een dag tijdens knutselen met een breekmesje opzettelijk de aders in zijn linkerpols had opengehaald. Er waren psychologen aan te pas gekomen en uiteindelijk had zijn moeder hem naar een andere school gestuurd. Dat was ondertussen alweer zevenentwintig jaar geleden, maar onder het bandje van vaders dure Seiko horloge zat nog steeds een litteken. De andere wonden zaten diep vanbinnen en zouden nooit echt helemaal genezen.

Yannick keek toe hoe zijn vader het scalpel in zijn hand nam r de huid van het dode konijn sneed. Van de nek tot de ѕш . Dat moest heel voorzichtig gebeuren (en niet omdat het konijn dan geen pijn zou voelen). Het was de bedoeling dat de huid werd afgestroopt als een handschoen en dat de rest van het lichaam, de spieren en de botten, zoveel mogelijk intact bleven.

De schedel en de botten in de poten bleven erin zitten om steun te geven. Straks werd alles nog met ijzerdraad samengebonden. Yannick mocht de ogen en de hersenen uit de kop peuteren, met zo'n krom haakje dat de tandarts gebruikt om je gebit te controleren.

'Bij de Egyptenaren werden de hersenen van een dode er met een haak via de neusgaten uit getrokken', vertelde Yannick, terwijl hij met zijn vingers de bloederige smurrie konijnenhersenen van het haakje pulkte.

'Leuk', zei zijn vader alleen maar en hij nam het konijnenlijkje over om de gewrichten en de halswervels door te knippen met een snoeischaar.

De *ogenlade* was een grote, platte lade in papa's werktafel met honderden ogen erin. Grote en kleintjes; hertenogen, hondenogen, vogelogen en ook konijnenogen. Allemaal van glas natuurlijk, maar ze zagen er zo levensecht uit, dat het leek alsof ze je stuk voor stuk aanstaarden vanuit de diepte. Zodra de glazen oogjes stevig in de oogholtes waren vastgemaakt en papa de huid opnieuw over de schedel had getrokken, zag het konijnenkopje er ineens weer springlevend uit. Yannick dacht even dat het dode konijn hem aanstaarde terwijl hij een samengebonden prop stro in de scheur in zijn buik duwde. Net alsof het diertje ieder moment kon uithalen en zijn scherpe snijtanden in Yannicks hand zou planten. De jongen schudde de gedachte van zich af. Dat was natuurlijk zijn fantasie, in combinatie met de schittering van

8

het licht, dat door het hoge kelderraampje naar binnen viel. Dode dieren kunnen alleen maar tot leven komen in griezelverhalen.

De paashaas moest rechtop staan, had bakker Depoorter gezegd, en dus werd het konijn zo in elkaar gezet dat het op zijn achterste poten stond. IJzerdraad in zijn oren zorgde ervoor dat je ze in alle richtingen kon buigen en Yannick vond dat het konijn een rechtopstaand en een hangend oor moest hebben. Zijn vader naaide alles weer netjes dicht en zette het diertje met spijkers vast op een houten plankje dat hij groen had geverfd.

Vervolgens kreeg Yannick de eer om de patiënt aan te kleden met de poppenkleertjes, die zijn vader was gaan kopen in de speelgoedwinkel: een ruitjeshemd en een groen jasje.

'Krijgt hij geen broek?' vroeg Yannick.

'Donald Duck draagt toch ook geen broek?'

Yannick moest lachen, want als je erover nadacht liep die eend voortdurend in zijn blote flikker rond. Iets wat je Mickey en Goofy nooit zag doen. Donald Duck was een vies eendje.

Op zijn rug kreeg het konijn een mandje, waarin vier kleurige plastic eieren lagen op een bedje van stro.

'En?' vroeg papa, terwijl hij hun werk bewonderde.

'Het ziet er nogal idioot uit.'

'Het is dan ook voor een idioot', zei Yannicks vader.

Het paaskonijn belandde in een doos, zodat Yannick het de volgende dag, samen met Davy, naar de bakkerij kon brengen.

Hopelijk was Wim er niet.

Wetenschappers doen voortdurend allerlei onderzoek naar de menselijke aard en Yannick vond dat ze best eens mochten onderzoeken of je genetisch voorbestemd zou kunnen zijn een klootzak te worden. Hij had een rotsvast vermoeden dat dit het geval was met Wim Depoorter. De zoon van *Marcelleke* zat bij Yannick en Davy in de klas en was een ontzettend irritant joch, dat bovendien ook nog ontzettend dik was. Een hele kannibalenstam kon er makkelijk een week van eten. Nu had Yannick niets tegen dikke kinderen en hij kon met iedereen overweg, of ze nu dik waren of mager, zwart, wit, rood, geel of oranje met groene bolletjes. Maar het was gewoon onmogelijk om Wim aardig te vinden. Hij was een opschepper, een afperser en een lafaard en had er een sport van gemaakt om het leven van andere kinderen grondig te verzieken. Hij schopte voetballen op het dak, maakte jongere kinderen hun geld afhandig, verknoeide boterhammen, vernielde speelgoed en stal mutsen en petten die de eigenaren dan, stinkend naar pis, terugvonden in het jongenstoilet. Als je terugvocht, dan ging hij zeuren bij de juf dat hij gepest werd omdat hij dik was. En natuurlijk kreeg de hele klas dan een preek over verdraagzaamheid. Nee, er waren niet veel kinderen in het zesde leerjaar van de gemeenteschool die het bakkerszoontje in hun hart hadden gesloten. Zo vader, zo zoon, zegt het spreekwoord.

Pasen viel vroeg dit jaar. De lente was nog maar net begonnen en het kon 's nachts nog behoorlijk vriezen. Ook overdag was het nog fris, hoewel het zwakke zonnetje zijn best deed om te laten weten dat de zomer in aantocht was. Yannick en Davy hadden hun winterjacks aan en reden op hun fietsen naar het dorp. De doos met het *paaskonijn* lag op de bagagedrager van Yannicks fiets, zorgvuldig vastgesjord met twee snelbinders. Voor wie de jongens niet kende en even niet naar hun kleren keek of naar de kleur van hun fiets (Yannick had een blauwe en Davy een gele), was het zo goed als onmogelijk om hen van elkaar te onderscheiden. Yannick was exact tweeëntwintig minuten en drie seconden jonger dan zijn broer. Ze hadden hetzelfde gezicht, dezelfde blauwe ogen en dezelfde halflange blonde krullen, waardoor zelfs oma soms moeite had om hen met hun juiste voornaam aan te spreken. Het enige wat hen uiterlijk van elkaar onderscheidde, was de kleine ronde moedervlek op Yannicks linkerwang. Soms plakten de broers voor de grap allebei een pleister op hun wang, zodat Yannicks moedervlek bedekt was en dan had zelfs hun vader moeite om hen uit elkaar te houden.

De poort van het kerkhof stond open en je kon er in principe dwars doorheen fietsen, wat de tweeling een flinke omweg zou besparen, maar het kerkhof was verboden terrein voor iedereen die er niets te zoeken had. Het was het territorium van César Verwimp, de conciërge. Hij had allang met pensioen moeten zijn, maar omdat het onderhouden van het kerkhof zijn leven was geworden, was hij gewoon gebleven. Niemand wist waar hij woonde of zag hem ooit binnen of buiten gaan. Maar elke dag weer was hij trouw in het kantoortje bij de ingang te vinden. Er deden zelfs geruchten de ronde dat hij er woonde. Niet dat Yannick en Davy bang waren voor de man, want *Césarreke* was zesentachtig jaar oud en slecht te been. Het was Satan waar de jongens beducht voor waren. Nee, niet de Prins der Duisternis, maar Césars trouwe waakhond; een zwarte rottweiler met een hartgrondige hekel aan katten, inbrekers en elfjarige jongens op de fiets.

'Aha, daar is mijn haas!' begroette Marcel Depoorter de jongens. Yannick wist heel goed dat hij hen nooit uit elkaar kon houden en liever dan zichzelf belachelijk te maken, begroette hij dan maar de twee lange oortjes, die uit de doos staken.

Als je bakker Depoorter zo op het eerste gezicht zag, kon je moeilijk geloven dat hij vroeger zo'n snertjoch was geweest.

Hij had een vriendelijk rond gezicht, kortgeschoren haar dat wat grijs begon te worden bij de slapen en goedlachse donkere ogen. Maar Yannick had altijd het gevoel dat de bakker een masker droeg, net als papa en hij ontwaarde een valse schijn in die ogen.

Wim stond achter de toonbank. Onder de witte bakkersschort droeg hij een streepjes T-shirt dat vervaarlijk spande bij de zomen. Zijn zwarte haar was even kort als dat van zijn vader en in zijn bolle gezicht staarden twee donkere ogen de tweeling venijnig aan.

'Maar dat is geen haas, dat is een konijn!' was het eerste wat de bakker zei toen hij het knaagdier uit de doos haalde.

'Een *paaskonijn*', voegde Yannick eraan toe. 'Die zijn zeldzamer.'

'Maar ik had toch een haas gevraagd? Dat is toch geen gezicht!'

'Nou, ik vind die mand geverfde eieren op zijn rug eerder geen gezicht', lachte Davy.

'Iedereen wil hazen deze tijd van het jaar', verduidelijkte Yannick. 'De poelier had gelukkig nog een konijn over.'

'U mag blij zijn dat het geen hond is, of een kat met bandensporen op haar rug', grinnikte Davy.

'Maar als u niet tevreden bent, nemen we het weer mee hoor.' Yannick maakte de doos weer open.

'Goed, goed!' morde de bakker en hij zette het konijn toch in de etalage tussen twee taarten.

Wims bovenlip krulde op in een hatelijke grijns, alsof hij niet kon begrijpen dat zijn vader zich zo liet beduvelen door die twee Casteleyns.

Het zou Yannick en Davy worstenbroodjes wezen.

[2] De Lord of the Ring

Wim was niet alleen irritant; hij was ook een opschepper en liet geen kans onbenut om iedereen er steeds weer aan te herinneren hoe rijk zijn ouders wel waren. Over de nieuwe auto van zijn pa (een BMW), over zijn Playstation, over zijn reis naar New York en over zijn eigen weblog, waarop hij zelfverzonnen grappen en nieuwtjes over zichzelf publiceerde. En als je er een grap over maakte, of je noemde hem een opschepper, dan was je alleen maar jaloers.

Ook deze ochtend, terwijl ze in de rij stonden om naar de klas te gaan, had Wim weer iets om over op te scheppen. Hij had in het weekend zijn plechtige communie gedaan en aan de ringvinger van zijn rechterhand prijkte nu een knoert van een ring. Het ding was vierentwintig karaats goud, bezet met drie echte diamanten. Het was een familie-erfstuk, dat nog aan zijn overgrootvader had toebehoord, vertelde Wim, en dat al generaties lang werd doorgegeven van vader op zoon.

'Wauw!' riep Thomas uit. 'Die moet een smak geld waard zijn!' Thomas was Wims enige vriend. Nu ja, *vriend...* Hij was eerder een zielig type dat achter hem aan liep als een hondje en steeds in zijn gunst probeerde te komen.

'unne hek!?' mummelde Wim. Hij had net een hap genomen van zijn derde chocoladereep in tien minuten en toen hij zag dat de anderen hem niet begrepen, slikte hij door.

'Ben je gek!?' herhaalde hij. 'Zoiets verkoop je niet zomaar! Het is meer waard dan alleen maar geld. Het heeft *emotionele* waarde.'

Het klonk als iets dat Wims vader hem had gezegd op het moment dat hij de jongen het sieraad gaf, want anders was geld het enige waar Wim in geïnteresseerd was. Geld en dure spullen. Alsof zijn blitse merkkledij kon verbergen dat hij eigenlijk niet meer dan een naar kereltje was.

'Is dat geen ring voor vrouwen?' vroeg Karel terwijl hij Wims hand van dichtbij bestudeerde. Hij was een van de vrienden van Yannick en Davy; een klein, mager jochie met zwarte piekjes en een snuit vol sproeten. Hij stond bekend als de grapjas van het zesde studiejaar, had een grote mond en een rijk gevuld arsenaal sterke (maar vaak verzonnen) verhalen.

Wim staarde hem verbouwereerd aan en leek hem te willen doden met zijn blik.

'Ik bedoel,' voegde Karel eraan toe, 'ik heb nog nooit een man diamanten zien dragen.'

'Ik wel hoor', zei Davy. 'Drugdealers, pooiers en bendeleden dragen ook diamanten.'

'En leden van de maffia', voegde Yannick eraan toe.

'Klootzakken!' snauwde Wim. 'Jullie zijn gewoon jaloers!'

Yannick moest denken aan zo'n lompe buldog, die wel flink kon blaffen, maar te vet was om achter je aan te lopen.

Karel proestte het uit. 'Jaloers? Er zijn wel andere dingen om jaloers op te zijn dan *The Precious*.' Dat laatste sprak hij uit met een hoog, hees stemmetje, zoals Gollum uit Lord of the Rings.

Toen de jongens in de lach schoten, wist Wim dat zijn ring het pleit had verloren en hij draaide zich mokkend om.

Met Yannicks fascinatie voor de oude Egyptenaren, was het ook niet zo gek dat dit het onderwerp van zijn spreekbeurt was die ochtend. Hij had er lang aan getwijfeld of hij het boek dat hij van oma had gekregen zou meenemen naar school. Het was een prachtig gebonden boek met veel kleurenfoto's en een van Yannicks meest waardevolle bezittingen. Maar het boek bevatte een paginagrote afbeelding van het gouden masker van Toetanchamon. Hij moest het gewoon meenemen. Toetanchamon was de jongste farao die ooit over het volk had geregeerd. Hij was amper negen toen hij de Egyptische troon besteeg. Toen hij dit vertelde, waren veel kinderen in de klas onder de indruk. Behalve Wim - sinds deze ochtend beter bekend als Lord of the Ring - en Thomas natuurlijk. Die zaten zijn hele spreekbeurt lang te zuchten, te kreunen en flauwe grapjes te maken (waarom heette die farao 'toet' en niet 'tingeling'?).

Juf Katrien was vol lof over Yannicks spreekbeurt en hij kreeg een acht en half, maar toen hij ging zitten, tikte Wim hem op de schouder en zei: 'Je moet je spreekbeurt verkopen als middeltje tegen slapeloosheid.'

'Saai, man!' voegde Thomas eraan toe.

'Alle spreekbeurten zijn saai', zei Yannick. 'Dat is het doel van een spreekbeurt.'

'Mijn spreekbeurt gaat over automatische wapens', zei Wim. 'Het gaat de coolste worden van de hele klas.'

'Automatische wapens?' vroeg Davy, die naast Yannick zat, 'Ik dacht dat jouw spreekbeurt over taart zou gaan.'

'Nee', lachte Yannick, 'Over het eten van taart.'

'Hou je kop, Casteleyntjes; ik zweer dat ik jullie ombreng!'

Yannick grijnsde poeslief, want Wims dreigementen moest je nooit ernstig nemen. In tegenstelling tot zijn vader, had Wim eerder een grote bek in plaats van losse handjes en hij bedreigde iedere dag de halve school met de dood. Zolang ze maar jonger of kleiner waren dan hij. Tijdens de pauze liet iedereen Wim en Thomas dan ook links liggen, of ze liepen in een wijde boog om hen heen. Yannick en Davy hadden met Karel een bank opgezocht aan de rand van het schoolplein. Karel beweerde dat hij *wereldschokkend* nieuws had en dat was altijd lachen.

Ineens voelde Yannick een hand op zijn schouder en hij draaide zich om.

'Mooie spreekbeurt!'

Zijn mond viel open en hij voelde het bloed naar zijn wangen stijgen, terwijl hij wat idioot in de mooiste ogen van de hele wereld staarde. Die ogen verbleekten weer bij de schoonheid van het meisje aan wie ze toebehoorden.

Vandaag droeg Hanne Gheeraert haar lange donkere haar los, zodat het in een brede waaier over haar schouders viel. Ze droeg een versleten spijkerbroek met een scheur waardoor je net haar knie kon zien, en een strak T-shirt. Een beetje té strak, want Yannick moest zijn ogen met geweld wegtrekken van de beginnende bultjes eronder. Ze droeg een zwarte halsband met een zilveren pentagram eraan. Hanne was Wicca; een heks zoals dat heette. Hierdoor was ze een beetje een buitenbeentje. Maar het respect dat ze bij haar vriendinnen miste, vond ze terug bij Yannick.

'Bedankt', piepte de jongen met een verlegen glimlachje.

'Ik vind de Egyptenaren ook heel cool', ging Hanne verder.

'Echt?' Yannick dacht dat hij droomde.

'Wat is er niet cool aan? Ze hadden een van de grootste en rijkste beschavingen opgebouwd, toen wij hier nog in berenhuiden rondliepen en met speren op everzwijnen joegen.'

'Wil je mijn boek zien?' zei Yannick meteen en voelde het bloed opnieuw naar zijn wangen stijgen.

'Tuurlijk', zei Hanne.

'Alleen maar je boek laten zien, hoor!' waarschuwde Karel.

Davy gierde het uit.

Yannick en Hanne negeerden hen en gingen het schoolgebouw binnen.

Juf Katrien zat achter haar tafeltje toetsen na te kijken.

'Ja?' riep ze toen Yannick op de deur klopte.

'Juf, Hanne wil mijn boek zien, mogen we...'

'Ja, tuurlijk', lachte juf Katrien. Ze was een nog jonge juf vol idealen en leuke ideeën. Ze had kort zwart haar en sproeten en droeg altijd lange jurken met bloemetjes. Yannick vond dat ze een beetje op een vis leek, want ze had kleine ronde oogjes, die een beetje uitpuilden en een stompe neus. Als ze praatte en je stopte je vingers in je oren, dan leek het net alsof ze naar lucht hapte. Het enige nadeel aan haar was haar obsessie voor netheid. Haar klas was de ordelijkste van de hele school en op alle kasten, rekken en planken waren etiketten met daarop de inhoud geplakt. Natuurlijk wilde ze dat haar leerlingen dezelfde netheid aan de dag legden. En dat wilde nogal eens problemen opleveren.

Hanne ging op Davy's plaats zitten, terwijl Yannick zijn rugzak pakte... maar hij schrok, want hij voelde ongewoon licht aan. Hij trok de rits open en het bloed, dat zich in het gezelschap van Hanne in zijn gezicht had opgehoopt, trok nu in één keer weg.

'Het is gestolen!'

'Wat?' schrok Hanne.

'Ik heb het daarnet in mijn tas gestopt!'

Hij keek in zijn bank en op de vloer eronder, maar het was spoorloos. Hanne keek in alle banken en toen ze ook in de kasten wilde kijken, keek juf Katrien op van haar werk.

'Wat zoeken jullie?'

'Mijn boek is gestolen!' zei Yannick, terwijl hij de bank van Wim doorzocht.

'Dat is onzin, Yannick en dat weet je! Dat komt ervan als je je spullen laat rondslingeren. Het ligt vast ergens tussen of onder!'

Yannick voelde zich beledigd, want hij was altijd al de ordelijke helft van de tweeling geweest en hij droeg wel degelijk zorg voor zijn spullen. Zeker als ze zo waardevol waren. 'Maar het zat in m'n rugzak!' Zijn stem trilde en de tranen welden op in zijn ogen; hij kon ze gewoon niet tegenhouden. Het mooie boek van oma!

Juf Katrien liet haar toetsen met tegenzin links liggen en hielp de kinderen met zoeken, maar het boek leek wel van de aardbol verdwenen en in ieder geval uit de klas.

Toen de pauze voorbij was en iedereen weer op zijn plaats zat, vroeg juf of iemand Yannicks boek had gezien. Natuurlijk had niemand dat.

Maar Yannick had een vermoeden wie de daders waren. Wim en Thomas zaten al de hele tijd te fluisteren en te gniffelen achter zijn rug. Hanne had het ook in de gaten, maar ze hadden natuurlijk geen enkel bewijs.

Toen de bel ging voor de middagpauze en Wim met vijf nieuwe chocoladerepen achter de andere kinderen naar de deur liep, pakte een hand hem ruw vast en drukte hem tegen de wand van de kast.

Wim was verrast, niet in het minst omdat het een meisje was.

'Je kunt er maar beter voor zorgen dat het boek van Yannick weer in zijn tas zit als we terugkomen van de middagpauze', zei Hanne op kalme, berekende toon.

'Hou je gemak, Gheeraert. Ik heb het niet gedaan!'

'Dat zeg ik toch niet? Ik vraag gewoon of jij ervoor zorgt dat het boek terugkomt. Meer niet.'

'Fuck you!' bitste Wim.

Hanne liet hem los en duwde hem door de deur naar buiten.

Yannick voelde alleen maar bewondering voor dat mooie meisje dat het aandurfde om Wim te bedreigen. In die zin leek ze wel wat op de legendarische Egyptische koningin Cleopatra, die de grote Romeinse krijgsheren rond haar vinger wond.

[3] De snor van Toetanchamon

'Een satanist?'

'Dat zeg ik je toch?'

'Gebruik jij drugs of zo? César is zesentachtig!'

'Op satanisme staat geen leeftijd', zei Karel, kauwend op een boterham met chocoladepasta.

'Het is niet omdat zijn hond Satan heet, dat hij een satanist is', zei Davy. 'Het is eigenlijk best een coole naam om aan je hond te geven.'

'Het is niet alleen zijn hond', zei Karel met fonkelende lichtjes in zijn ogen. 'Hij loopt altijd in het zwart gekleed en je ziet hem nooit komen of gaan. Mevrouw Versteeg, die tegenover het kerkhof woont, zegt zelfs dat hij 's morgens vroeg de poort van binnenuit openmaakt!'

'Er is nog een poort aan de achterkant van het kerkhof', zei Yannick. 'Hij zal dan wel daarlangs naar binnen gaan.'

Karel zuchtte, alsof hij zich afvroeg waarom de tweeling zoveel moeite had om zijn verhaal te geloven.

''s nachts offert hij dieren', ging hij verder. 'Hij snijdt hun keel open en drinkt hun bloed. Vooral geiten en schapen.'

Nu barstte de tweeling in lachen uit en ze begonnen allebei te blaten en te mekkeren. Karel gaf hen elk een onzachte stomp, waardoor ze nog harder gingen lachen.

'Goed! Lach maar! Maar ik weet dat het waar is!'

'Je hebt niet eens bewijzen!' riep Yannick uit.

'Maar ze zijn er wel. We kunnen vannacht gaan kijken, dan zien jullie het met je eigen ogen!'

''s Nachts slapen we', zei Davy.

'Jullie zijn bang!'

'Wij zijn niet bang!' weerde Yannick zich. 'Maar we zijn ook niet dom.'

'Ik ga mee!'

De drie jongens keken verbaasd in de richting van de stem die dit net had gezegd.

Hanne ging op de laatste lege stoel zitten en keek het drietal strak aan.

'Ik ga mee om te bewijzen dat je uit je nek zit te kletsen, Karel Bogaerts.' Ze had een uitdagend lachje rond haar lippen, waardoor Yannick een onweerstaanbaar verlangen voelde om er een kus op te geven.

'Ik klets helemaal niet uit mijn...'

'Satanisten offeren geen dieren', onderbrak Hanne hem. 'Het zijn mensen die zich verzetten tegen het Christelijke geloof in God, Jezus en de Hemel. De Satanisten geloven dat er eeuwenoude duistere krachten bestaan in de natuur, die ook de mens beïnvloeden. Eigenlijk geloven ze in dezelfde dingen als de Wicca; ze hebben alleen een andere naam en andere rituelen. Maar dat Satanisten baby's en dieren offeren, dat is een verzinsel van de Christenen.'

'Wat weet jij veel!' De woorden waren uit Yannicks mond voordat hij het wist en hij werd zo rood als een tomaat.

Hanne glimlachte en keek hem aan met die prachtige donkere kijkers van haar.

'Ik lees gewoon veel. Ga je ook mee vannacht?'

'Tu-tuurlijk!'

'Tu-tu-tuurlijk!' aapte Davy zijn broer na en wierp hem plagerige kusjes toe.

Toen de kinderen na de middagpauze in de klas kwamen, zag Yannick, tot zijn verbazing, dat zijn boek over Egypte op zijn bank lag. Hij had nooit gedacht dat Hanne Wim er alleen maar met woorden kon toe brengen om het terug te geven. Had ze misschien stiekem een Wiccatrucje gebruikt? Of misschien was Wim helemaal nog niet van de kwaadste... Misschien volstond het om toenadering te zoeken, een complimentje te geven, een vriendelijk woordje... dingen die pestende kinderen heel vaak moesten missen.

Yannick draaide zich om en zei: 'Bedankt, Wim. Dat is cool van je.'

'Graag gedaan', zei hij met een idiote grijns: 'Het is gesigneerd.'

'Wat?'

'Pagina 209.'

Yannick sloeg zijn boek open en bladerde er als bezeten doorheen. Bij de foto van Toetanchamons gouden dodenmasker bleven zijn vingers stilstaan. De jonge farao had een krulsnor gekregen en een bril. Eronder stond geschreven in Wims hanenpoten: *Voor Yannick de slappe pik, van Toetenkoman.* Yannick voelde zich van binnen koken en tranen van woede en onmacht prikten in zijn ogen. Het was erg dat Wim zijn boek had weggenomen, maar het was helemaal vreselijk dat hij het nodig had gevonden om het te bekladden!

Hij draaide zich met een ruk om en riep: 'Jij bent een vette klootzak, Wim!'

Maar Wim bleef maar grijnzen en stak zijn vinger op.

'Juf, Yannick heeft me *vet* genoemd!' Hij zei het op zo'n ontzettend zielig toontje, dat Yannick zich bijna ging schamen.

'Klikspaan!' schold Davy.

Juf Katrien draaide zich om van het bord, waar ze net een trapezium aan het tekenen was.

'Is dat waar, Yannick?'

'Nee, juf', zei Yannick met tranen van verbeten woede in zijn ogen. 'Ik heb hem niet *vet* genoemd. Ik heb hem een *vette klootzak* genoemd. Da's iets heel anders.'

Het leverde hem niettemin een opstel van vijf bladzijden op met de titel *waarom ik dikke kinderen niet mag uitschelden* en Yannick voelde een diepe, primitieve drang om zich op Wim te storten en die idiote grijns van zijn vette tronie te slaan. Nee, het was niet beschaafd, maar het zou toch zo'n lekker gevoel zijn! Maar hij had ook geen zin in meer straf en wist zich te beheersen.

'Misschien moeten we maar eens met een sleutel een handtekening zetten in de lak van de BMW van zijn pa', stelde Davy voor toen ze na schooltijd naar huis fietsten.

Maar daar voelde Yannick weinig voor. Het was ook vandalisme en bovendien had Wims vader er niks mee te maken. Het had dus geen zin om zijn eigendom te gaan vernielen.

'Of we kunnen zijn schooltas in de gracht achter het kerkhof gooien', ging Davy verder. 'Mag-ie lekker al zijn schriften opnieuw overpennen.'

Yannick moest lachen bij de gedachte. Dat leek hem inderdaad een veel beter idee, maar hij wist ook dat zoiets de dingen alleen maar erger zou maken.

'Ach laat ook maar', zei hij. 'Ik zal in't vervolg gewoon beter op m'n spullen moeten letten.'

'Wim verdient gewoon een flink pak slaag', zei Davy en gaf de lucht zo'n uppercut dat hij bijna van zijn fiets viel.

Yannick zag het niet. Hij keek halfdromerig voor zich uit. Zijn bekladde boek was alweer uit zijn gedachten. Hij zou vannacht met Hanne en Karel op het kerkhof zijn. Misschien kon hij haar daar onder de sterren vragen of ze verkering met hem wou? Bestond er een romantischer moment... nu ja, het was wel een kerkhof, maar dat zou zijn plannen niet verknoeien.

Ze hadden precies om middernacht bij de poort afgesproken. Of Verwimp nu wel of niet dieren of baby's offerde, kon Yannick eigenlijk geen barst schelen. Hanne zou er zijn en dat was het voornaamste.

'Je gaat er dus echt heen?' vroeg Davy toen zijn broer in plaats van zijn pyjama zijn gympen aantrok.

Yannick knikte en drukte zijn wijsvinger tegen zijn lippen als teken dat Davy niets aan papa mocht verklappen. Davy stak op zijn beurt zijn wijs- en middelvinger omhoog als teken dat hij het beloofde. Yannick wist wel dat zijn broer zijn mond zou houden. Tweelingen zijn op een andere manier met elkaar verbonden dan 'normale' broers en zussen. En hoewel ze vaak ruzie hadden, namen ze het toch steeds voor elkaar op wanneer een van hen in de problemen zat.

Yannick propte een opgerold dekbed onder zijn lakens, zodat het leek alsof hij eronder lag. Het was niet echt overtuigend, maar papa stond 's nachts maar zelden op. De kans was dus klein dat hij Yannicks verdwijning zou opmerken.

'Tot morgen', fluisterde Yannick en knipte het licht uit.

'Wees voorzichtig', klonk de stem van zijn broer in het donker.

In de hal staarden de glazen oogjes de jongen van alle kanten aan. Een herten- en een everzwijnkop aan de muur, een eend op het tafeltje en een grijnzende dobermann op de vloer onder het raam. De dobermann was lange tijd in Yannicks nachtmerries opgedoken en ook nu, in het pikkedonker en met het maanlicht dat door het raam over zijn zwarte vacht streek, gaf de hond hem de kriebels.

Uit de kamer aan het andere eind van de gang klonk papa's

gesnurk. Yannick sloop voorzichtig langs de deur en liep op zijn tenen heel stil de trap af.

Buiten was het bitterkoud en Yannick was blij dat hij zich goed had aangekleed. Bij de bibliotheek zette hij zijn fiets aan de ketting en ging toen te voet verder naar het kerkhof. Karel en Hanne stonden er al, hoewel het nog geen middernacht was. Ze hadden allebei een zaklamp vast. Daar had Yannick niet aan gedacht.

'Hai', groette hij.

'Hé, Casteleyntje', lachte Karel. 'Niet bang zijn, hè.'

'Ik? Ik ben alleen bang dat je je luiers hebt vergeten aan te trekken en je vanavond je broek te drogen moet hangen', antwoordde Yannick droogjes.

Hanne moest hierom lachen en het klonk als muziek in zijn oren.

'Waarop wachten we trouwens?' vroeg hij aan Karel. 'Tot het weer licht wordt?'

Maar het antwoord kwam van een felle lichtbundel, die recht in zijn oog scheen. Aan de overkant van de straat kwamen twee kleine figuren, een dikke en een dunne, op hen af. Ter hoogte van hun mond gloeide een sigaret.

'Nee toch!' kreunde Yannick, terwijl hij zijn ogen afschermde voor het licht. 'Kon je het echt niet laten om die twee lamzakken uit te nodigen?'

'Iemand aan de tafel naast ons heeft het gehoord en het aan Wim doorverteld', zuchtte Karel.

'Klaar voor de grote Duivelstocht?' grijnsde Wim terwijl hij zijn sigaret tussen zijn lippen vandaan plukte. Hij had eindelijk zijn zaklamp gedoofd, maar Yannick zag nog steeds vlekken voor zijn ogen. Thomas zei niets, zoog alleen aan zijn Marlboro Light alsof het een rietje was. Hij leek allesbehalve op zijn gemak.

De poort van het kerkhof was natuurlijk op slot en de muren waren te hoog. Maar aan de zijkant, achter de parkeerplaatsen, ging de bakstenen muur over in een afsluiting, die helemaal verborgen ging in een dichtbegroeide haag. De afsluiting was aan de muur vastgemaakt met ijzerdraad en het volstond die los te maken om een kleine doorgang te maken, breed genoeg om een doorsnee elfjarige door te laten. Karel, die de zwakke plek had ontdekt, draaide zorgvuldig het ijzerdraad los, zodat ze hem achteraf weer vast konden maken. Yannick mocht er als eerste doorheen, toen volgden Hanne en Thomas. Maar Wim was geen doorsnee elfjarige – eerder twee twaalfjarigen - en het kostte hem heel wat gewring en gewriemel voor hij door de nauwe opening kon. Daarbij scheurde hij de zijkant van zijn camouflagebroek aan de ijzeren haak waarmee de omheining aan de muur was vastgemaakt.

'Fuck Bogaerts!' schold hij, terwijl hij de schade keurde. 'Ik hoop dat het de moeite waard is!'

'Hou je kop!' siste Hanne.

'Ja, straks worden de doden wakker', grinnikte Karel terwijl hij door het gat kroop. Ze knipten hun zaklampen aan en slopen naar het kantoortje van de oude César. Het was donker binnen en de deur zat op slot.

'Satanistje is gaan vliegen', merkte Wim op. Thomas moest hierom hard en tamelijk idioot lachen.

'Jammer', zei Yannick. 'Hij had hier al meteen twee varkens gehad om te offeren.'

'Kop dicht Casteleyntje, of ik stop je in een graf!'

'Stil!' beval Karel. 'Het is niet omdat hij niet hier is, dat hij niet ergens anders op het kerkhof is. En zijn hond is er ook nog.'

'Nou, dan gaan we hem toch gewoon zoeken?' stelde Wim

voor. Hij stak zijn hoofd in de lucht en bracht een hartver-scheurend gehuil uit. 'Awoeoeoeoe! Hier Satan! Kom bij Wim!'

Wim en Thomas gierden van de pret. Alleen Yannick, Hanne en Karel lachten niet. Het verscheuren van de stilte, vulde Yannick met afgrijzen. Het getuigde van een gebrek aan eer-bied voor de doden. Bovendien wist Yannick heel goed dat de hond geen grapje was. Hier woonde een echte rottweiler en zo'n beest kon je maar beter niet uitdagen.

Wim vond blijkbaar ook dat hij maar beter op veilig kon spelen en raapte een zware tak op, die hij over zijn schouder legde als een knuppel. De twee renden gierend tussen de graven door en maakten allerlei hondengeluiden. Plotseling bleef Wim staan en zag dat Karel, Yannick en Hanne wat onzeker stil stonden.

'Hé schijtluizen! Komen jullie nog?'

Karel wisselde een verontschuldigende blik uit met Hanne en Yannick en liep toen achter de twee druktemakers aan. Yannick maakte aanstalten om ook achter hen aan te gaan.

'Ik blijf hier', zei Hanne. Haar woorden walmden als wolkjes uit haar mond.

Yannick draaide zich om en keek haar aan. Wat was ze mooi zo in het maanlicht. Net een echte heks... een mooie, jonge heks.

Ze keek raar op toen Yannick terugliep.

'Ze gaan je een schijtluis noemen', waarschuwde ze.

'Kan me niks schelen. Ik ben liever bij mensen met hersenen in hun hoofd.'

Hanne glimlachte. 'Ik ook', zei ze.

'Denk je dat ze hem pijn gaan doen?'

'Wie?'

'Satan.'

Yannick haalde zijn schouders op. 'Met Wim weet je het nooit. Hij trekt spinnen de poten uit.'

'Dan moeten we Satan vinden voordat zij hem vinden', zei Hanne en knipte haar zaklamp aan. Ze pakte Yannicks hand vast. Een zachte, warme meisjeshand. Yannick keek haar verbaasd en een beetje verlegen aan en liet zich meevoeren langs de graven en monumenten...

[4] Satan

Het kerkhof was groot. Dat was nodig als je wist dat hier de inwoners van maar liefst drie gemeenten werden begraven. Je kon er makkelijk verdwalen, maar daar maakte Yannick zich geen zorgen over. En eigenlijk hoopte hij stiekem dat ze de weg zouden kwijtraken. Verdwalen op een kerkhof bij volle maan, met het meisje van je dromen aan je hand. Bestond er iets dat spannender was?

Hier en daar had de gemeente struikjes aangeplant om het geheel een beetje op te fleuren en tussen de graven was een grindpad aangelegd. Vanaf verbleekte zwart-wit foto's staarden de overledenen de twee kinderen aan. Yannick had het koud en hij voelde fijne mistdruppeltjes op zijn gezicht. Het gejoel van Wim en Thomas galmde door het nachtelijke duister, veraf, helemaal aan de andere kant.

Hanne stond stil. Ze waren nu bij de achterkant van het kerkhof. De poort was half overwoekerd met klimop. Tussen de spijlen door kon je de straat zien, verlicht in de oranje gloed van de natriumlampen. Vanuit de huizen aan de overkant staarden donkere ramen.

Hanne ging op een zerk zitten om even uit te blazen en keek omhoog naar de maan. Yannick ging naast haar zitten. Was dit het moment waarop hij had gewacht? Zijn hart bonsde in zijn keel. Een ritmische tamtam; tromgeroffel voor wat komen zou.

'Hanne?'

Ze keek hem aan met die prachtige ogen, die zelfs hier in het donker leken te schitteren.

'Zou je... Ik bedoel... wil je misschien...'

'Luister!' fluisterde ze.

Yannick zweeg en luisterde naar de stilte. Nee, stil was het niet. Hij hoorde iets wat op het geronk van een zware dieselmotor leek. Hij draaide zich om in de richting van het geluid. Achter hen, overschaduwd door een donkere rij bomen, liep een pad langs de oudste graven. Helemaal aan het uiteinde scheen een felle rode gloed.

'Wat is dat?' fluisterde Hanne. Ze was zo dichtbij dat haar warme adem in zijn oorschelp blies.

'Ik weet het niet. Een vrachtwagen of zo.'

'Laten we gaan kijken!'

'Ik weet niet, ik dacht dat we de hond zochten?'

'Het is toch duidelijk? Er is helemaal geen hond.'

'Hoe weet je dat?'

'Met Wims kabaal, had hij allang aangevallen. Tenzij hij stokdoof is.'

Hier moest Yannick haar wel gelijk in geven. Hij stond op en liep achter Hanne aan over het grindpad, dat in het duister onder de bomen verdween. Hij voelde opnieuw haar hand in de zijne. Het geronk en het felle rode licht hadden iets onheilspellends gekregen en Yannick werd voor het eerst bang. Maar hij durfde natuurlijk niets tegen Hanne zeggen. Het geronk kwam dichterbij en de rode gloed straalde nu zo fel, dat Hanne haar zaklantaarn kon opbergen. Het schijnsel kwam achter de dichte haag vandaan, die een deel van het kerkhof omzoomde en boorde zich door het gebladerte. Het geronk klonk tamelijk ritmisch als je er goed naar luisterde. Hanne knielde bij de struik, zodat haar gezicht knalrood werd verlicht.

Ze draaide zich om en wenkte Yannick dichterbij te komen. Hij hurkte naast haar in het gras en samen tuurden ze door de openingen in het gebladerte. Aan de andere kant lag een bos en de rode gloed was afkomstig van de achterlichten van een vrachtwagen. Een tankwagen om precies te zijn. Dat verklaarde ook het eentonige geronk. De reusachtige cilindervormige tank op zijn rug was bleekgroen van kleur, maar er stonden geen letters of logo op. Twee mannen in witte beschermingspakken liepen heen en weer. Ze droegen maskers en je kon hun gezichten niet zien.

'Wat doen ze daar?' vroeg Hanne zich af.

'Geen idee. Stookolie leveren?'

Hanne fronste haar wenkbrauwen. 'In de lente? Om half één 's morgens? Aan het kerkhof?'

'Om de doden warm te houden?' Yannick vond zichzelf wel grappig. 'Wie maalt er nou om wat ze daar doen?' Hij was nog steeds een beetje boos omdat die stomme vrachtwagen zijn ultieme moment had verknoeid.

Hanne glimlachte. 'Je hebt gelijk', zei ze. 'We hebben er niks mee te maken.'

Hanne kwam overeind en knipte haar zaklamp weer aan. Yannick pakte nu zelf haar hand vast en ze glimlachte verrast.

'Het is donker', flapte hij er snel uit.

Zo liepen ze samen de rest van het kerkhof over en Yannick verzamelde opnieuw moed om Hanne te vragen of ze verkering met hem wou.

Maar toen ze bij het kapelletje kwamen dat in het midden van het kerkhof stond, had hij de moed verloren. Het kleine gebouwtje werd overschaduwd door een hoge beuk, die al flink wat knoppen had voor deze tijd van het jaar. Het kapelletje zag er dreigend en spookachtig uit zo in het donker, temidden van de graven. Het gejoel van Wim en de anderen was gestopt en er hing opnieuw een stilte die alleen thuishoorde op deze plek.

'Eigenlijk is het hier best wel mooi 's nachts', zei Hanne.

Yannick zei niets en keek haar alleen maar intens aan. Haar prachtige haar hing in slordige slierten voor haar ogen. Er hing een takje in die donkere golven. Hij stak zijn hand uit en plukte het uit het zachte fluweel.

'Jij bent ook mooi.'

Yannick schrok en het takje glipte tussen zijn vingers. Had hij dat net hardop gezegd?

Toch wel, want Hanne glimlachte. O, wat kon ze mooi lachen. Een lach die Yannicks binnenste helemaal in vuur en vlam zette.

'Dank je', fluisterde ze.

Dit was het! Dit was het moment, waar hij de hele avond al naartoe had geleefd. De enige reden waarom hij had ingestemd om mee te gaan op Karels stomme nachtelijke duiveljacht. En deze keer waren er geen vrachtwagens in de buurt om het te verpesten.

Yannick pakte haar beide handen vast (ze waren ijskoud), keek haar diep in haar mooie ogen en zei toen, heel stil: 'Hanne?'

Ze glimlachte een beetje onzeker. Misschien wist ze nu wel wat er komen zou.

'Ja?'

'Zou je...'

'Boeoeoeoeoeoeoe!'

Wims belachelijke spookstem scheurde het ultieme moment aan flarden. Karel, Wim en Thomas kwamen het pad op gerend tussen de graven. Een ruiker viel van een zerk en de witte bloemen werden vertrapt onder Wims Reeboks.

Hij had zijn sigaret verruild voor een Marsreep. Dat joch snoepte zelfs in het holst van de nacht! Zijn knuppel had hij uit verveling ergens achtergelaten.

'Hé, ze zijn aan 't kussen!' riep Karel.

Yannick liet bliksemsnel de handen van Hanne los en draaide zich om.

'Sniewaar!' weerde hij zich.

'Welles!' zong Karel op een plagerig toontje.

Hanne keek de nieuwkomers hoofdschuddend aan. Jongens van elf zijn toch zulke ontzettende etters. Behalve dan die ene met de blonde lokken en die schattige moedervlek op zijn wang. Die ene die op het punt had gestaan om haar avond onvergetelijk te maken.

'Hebben de kleutertjes hun pleziertje gehad?' vroeg Yannick nurks. 'Dan kunnen we nu naar huis!'

'Jaja, al goed, bangerik!' plaagde Wim.

'Bangerik?' lachte Hanne. 'Hoeveel Satanisten en dierenoffers zijn jullie dan tegengekomen?'

'Dat wil niet zeggen dat het allemaal niet waar is!' protesteerde Karel.

'Tja, Karel', lachte Hanne. 'Het zal net zo zijn als met je hersenen. Het is niet omdat je zegt dat je er hebt, dat ze er ook echt zijn.'

Iedereen lachte nu, behalve Karel natuurlijk. Een grapjas houdt er niet van om zelf het middelpunt van de grap te zijn.

Op weg naar de uitgang, liepen Yannick en Hanne een paar meter voor de gierende bende. Natuurlijk hielden ze deze keer elkaars hand niet vast. Toch had geen van beide spijt dat ze waren ingegaan op Karels uitnodiging. Ze konden niet ontkennen dat er iets was gebeurd die avond. Er was iets tussen hen en Yannick wist absoluut zeker dat Hanne het ook had gevoeld.

'Hé kijk!' riep Thomas toen ze de poort naderden. Hij scheen zijn zaklamp tussen de bomen naast het kantoortje en belichtte een zitmaaier met een aanhangwagen. Ernaast, tegen de muur stond een hondenhok. De voederbak en de kom met water droegen allebei de naam 'SATAN' in inktzwarte letters. Maar van de hond zelf geen spoor.

'Ik ga in zijn drinken pissen!' grijnsde Wim.

'Wim! Nee!' riep Hanne geschokt, maar de jongen was al op weg naar het hok. Hij ging wijdbeens boven de kom met water staan, ritste zijn broek open... en dat was het moment dat het licht van Thomas' zaklamp iets ontmoette tussen de struiken erachter. De lichtbundel wierp een monsterachtige schaduw tegen de haag. Vier poten en een stevige, gespierde kop met een brede muil.

'Wi-im?'

Maar Wim had het ook gezien. Hij kon alleen niets meer zeggen. Daar stond hij dan, oog in oog met Satan, met niets anders in zijn handen dan zijn piemel.

De zwarte rottweiler had een halsband om zijn nek, maar hij was niet vastgeketend. In zijn zwarte kop blonken twee donkere ogen, waarvan je aan de randen nog net het wit kon zien. Hij gromde; niet als een hond die ergens de pest in heeft, maar als een roofdier dat tegenover een vijand staat en op het punt staat om hem te verscheuren. Zijn lippen trokken terug en ontblootten twee rijen gruwelijk scherpe tanden. Er hing schuim rond zijn bek en het kwijl droop in lange slierten tussen het gras.

'Shi-it!' bibberde Wim met een hoog stemmetje en in plaats van in Satans drinkbak, plaste hij van het schrikken langs de voorkant van zijn broek.

'Maak geen bruuske bewegingen!' raadde Yannick hem aan. De anderen kropen zo snel mogelijk door het gat in de haag. Satan zag het niet. Al zijn aandacht was bij die ene dikke jongen met de natte plek voorin zijn broek. Blaffende honden bijten niet, zegt het spreekwoord. Maar deze hond blafte niet. Er was een indringer. Waarschuwen had nu geen zin meer. Aanvallen was de regel.

Wim sloeg Yannicks advies in de wind, maakte een halve draai en zette het op een rennen. Satan ging meteen in de achtervolging. De hond was ontzettend snel en haalde de dikke jongen in. Karel dook net door het gat in de haag, toen hij Wim zag struikelen. De hond sprong meteen bovenop hem en de jongen gilde als een speenvarken, terwijl hij de muil probeerde af te weren. Plotseling jankte Satan en maakte een sprong opzij toen een flinke kei zijn kop raakte. Thomas had een handvol grind opgeraapt en gooide de stenen een voor een naar de hond, zo hard hij kon. Satan gromde nu naar de andere jongen en stormde op hem af.

'Thomas! Kom terug!' riep Hanne door het gat in de haag. Maar Thomas had een steen opgeraapt ongeveer zo groot als een gebalde vuist. Hij mikte zorgvuldig en gooide hem met al zijn kracht. Er klonk een kort gejank en Satan maakte zich uit de voeten en verdween tussen de graven.

'Thomas! Klootzak!' riep Hanne. 'Die arme hond!'

'Wou je soms dat hij je tieten eraf beet?' brieste Wim. Hij was snel weer overeind gekrabbeld en kroop – met de nodige moeite – weer door het gat naar buiten.

'Dat was op het nippertje!' zuchtte Karel en hij knielde bij de omheining om de ijzerdraad weer vast te maken.

'Prachtig idee, mijnheertje satanist', zei Yannick toen Karel weer opstond. 'We hadden gewond of dood kunnen zijn!'

'Jaja, 't is al goed', zei Karel. 'Maar het was toch cool, hè?'

'En jij hebt lekker kunnen tongen met je liefje', grijnsde Wim.

Yannick deed geen moeite meer om het te weerleggen.

'Je had gelijk, Yannick', zei Karel. 'Er moet een broek te drogen gehangen worden, maar het is niet de mijne.'

Ze liepen lachend verder. Alleen Wim bleef achter en tastte wanhopig zijn zakken af.

'Waarop wacht je?' riep Karel. 'Wil je nog eens terug? Kun je nog eens in je broek zeiken!'

'Mijn mobieltje!' riep Wim uit. 'Ik ben het kwijt!' Zijn vingers vonden de scheur, die de ijzeren haak in zijn broek had gemaakt. Zijn mobieltje was er natuurlijk uit gevallen. Het kon overal liggen.

'Bel mij op, Thomas!'

'Huh? Maar je hebt toch geen...?'

'Fuck man! Bel mij op!'

Thomas pakte zijn eigen mobieltje en koos Wims nummer. Er klonk een irritant beltoontje, erg dichtbij. Wim ging op zijn knieën zitten bij het gat in de omheining en tuurde erdoorheen.

'Ik zie het liggen!'

Wims mobieltje lag inderdaad in het gras op de plek waar hij was gestruikeld. Hij pulkte en trok aan de ijzerdraad.

'Maak open, Bogaerts! Ik moet het terug hebben!'

'Vergeet het!' zei Karel. 'Kom het morgen maar zoeken als de poort open is en Satan aan de ketting ligt!'

'Je snapt het niet!' riep Wim ontdaan. 'Als César het vindt... het nummer van mijn ouders zit erin!'

'Je bent gek als je teruggaat!' zei Hanne en daar waren de anderen het mee eens.

'Ik *moet* het terug hebben!' bitste Wim.

'Dat moet je niet!' zei Yannick. 'César is oud en ziet niet zo goed meer. Hij zal het heus niet meteen vinden. Dan kun jij het morgen op weg naar school op je gemak komen oppikken.'

Wim zuchtte, maar leek toch in te binden en liep schoorvoe-
tend, met Thomas achter hem aan naar huis.
'Niet in je broek plassen hoor!' riep Karel hem nog na en
kreeg Wims uitgestoken middelvinger als antwoord.

[5] Satans einde

'Onlangs nog satanisten gezien?' vroeg Yannick toen hij Karel ontmoette op het schoolplein.

'Doe maar niet alsof je er niks van gelooft. Je hebt zijn hond toch gezien? Ze zeggen dat hij dat beest zelf in de Hel is gaan halen.'

'Waar is Wim eigenlijk?' vroeg Davy, Karels geleuter negerend.

'In zijn vel zeker?'

Wim was misschien wel een klootzak, maar een laatkomer was hij zeker niet. Zijn vader zette hem iedere ochtend stipt om kwart voor acht bij school af en gewoonlijk was Wim nu al druk bezig om de spelletjes van de jongere kinderen te verknoeien of de meisjes te pesten, samen met Thomas. Maar het was opvallend rustig op het schoolplein. De jongere kinderen speelden onbezorgd en Thomas zat eenzaam op een bank, terwijl hij hoopvolle blikken naar de poort wierp.

'Hij is vast bang dat we hem gaan uitlachen omdat hij in zijn broek heeft geplast', grijnsde Davy.

Yannick luisterde maar half, want al zijn aandacht was bij de schoolpoort, waar Hannes vader net zijn dochter had afgezet. Hij was boekhouder en liep altijd gekleed in een net pak. Blijkbaar deed hij zijn werk zo goed dat hij in een splinternieuwe Mercedes reed – iets waar Wim stikjaloers om was. Hanne zwaaide naar haar vader en toen ze haar rugzak omhing, viel er een lok haar voor haar gezicht. Voor Yannick was het net alsof de wereld vertraagde, net als in een romantische film.

'Hoi', zei hij toen Hanne bij de drie jongens aankwam.

Maar ze lachte maar een klein beetje. Haar uitdrukking verried dat ze ergens ontzettend van geschrokken was.

'Hebben jullie de krant gelezen?'

'Ja, mijn aandelen zijn weer gezakt', grapte Karel.

Hanne ritste haar rugzakje open en duwde hem nogal hardhandig de Ochtendpost in de armen.

'Pagina elf, onderaan.'

Karel vouwde de verkreukte bladzijden open en toen hij pagina elf had gevonden, werden zijn ogen zo groot dat het even leek alsof ze uit zijn hoofd zouden vallen.

'Shit man!'

Yannick en Davy verdrongen zich aan Karels linker- en rechterzijde om mee te kijken.

Het was geen groot artikel. Een kadertje onder de kop 'lokaal nieuws' met de titel: ROTTWEILER VERMINKT ELFJARIGE JONGEN.

Met ingehouden adem lazen de drie jongens het artikel. Het ging inderdaad over Wim. Blijkbaar was hij een uurtje later toch nog teruggegaan om zijn mobieltje te gaan zoeken, in de hoop dat Satan nu wel sliep. Maar Satan sliep nooit. Nog voordat hij goed en wel door het gat in de afsluiting was gekropen, had de hond hem al te pakken en had hem met één hap drie vingers van zijn rechterhand afgebeten. Wim had kunnen ontkomen door opnieuw door het gat te kruipen en was hevig bloedend naar huis gestrompeld. Op de stoep voor de bakkerij had hij uiteindelijk het bewustzijn verloren. Zijn vader, die de harde dreun tegen het rolluik had gehoord, vond zijn zoon nog net op tijd. Hij was met spoed afgevoerd naar het U.Z. en ondanks het grote bloedverlies was zijn toestand stabiel.

'Wat een idioot!' schold Yannick. 'Hij had dood kunnen zijn!'

'Nou, mooi schrijven zit er anders ook niet meer in', liet Karel zich ontvallen, maar niemand lachte.

Ook in de klas kwam het gesprek onvermijdelijk op Wim. Juf Katrien was er erg mee aan en kon maar niet begrijpen dat een jongen als Wim zoiets doms had gedaan. Yannick, Karel, Thomas en Hanne hielden wijselijk hun mond. Op een of andere manier kon Yannick zich er niet van weerhouden te denken dat Toetanchamon er iets mee te maken had. Een van de archeologen die zijn graf had geopend, was op mysterieuze wijze gestorven na een muggenbeet. Zo was de legende van *de vloek van de Farao* ontstaan. Als je kon sterven door zijn graf te schenden, dan was het kwijtraken van drie vingers een aanvaardbare straf voor het verminken van zijn foto. Natuurlijk durfde Yannick hierover niets aan Hanne te vertellen. Zij vond dat ze allemaal wel een beetje schuld hadden aan Wims ongeluk. Maar zij was wel de enige die dat vond.

'Het is zijn eigen schuld', zei Karel aan tafel tijdens de lunchpauze. 'We hebben alles gedaan om hem tegen te houden, maar we konden toch niet weten dat hij terug zou gaan?'

'Dat hele gedoe was wel jouw idee', wees Hanne uit.

'Nou, jij was er wel als de kippen bij om mee te gaan!'

'Om te bewijzen dat je tot aan je oogballen vol bullshit zit!'

'Stomme trut!' schold Karel.

'Hou op!' siste Yannick met gedempte stem. 'Het heeft geen zin om ruzie te maken! We hebben iets stoms gedaan, maar wat Wim is overkomen, is toch wel zijn eigen schuld. Daar hebben wij niks mee te maken.'

Er viel een stilte, waarbij Karel en Hanne elkaar hatelijke blikken toewierpen.

'En nog iets', vervolgde Yannick. 'Als je Hanne nog één keer een trut noemt, kun je een dreun krijgen.'

'En omdat zij gezegd heeft dat ik tot aan mijn oogballen vol bullshit zit, ga je haar zeker een tong draaien? Of dacht je soms dat ik het niet doorheb dat je het voor je liefje opneemt?' Om zijn bewering kracht bij te zetten rolde Karel het zilverpapier waarin zijn boterhammen hadden gezeten tot een propje en mikte het tegen Yannicks hoofd. Toen stond hij op en stampte de eetzaal uit.

Yannick had opnieuw een kleur gekregen en hij werd nog roder toen Hanne hem aankeek.

'Het bullshitniveau heeft zijn hersenen bereikt', zei ze met een lachje en nam een slok van haar yoghurt.

•

César had zich de hele dag lang niet durven vertonen. Hij schaamde zich voor wat er gebeurd was, maar hij was ervan overtuigd dat iedereen de schuld op Satan wilde afschuiven. Zijn trouwe viervoeter had gewoon gedaan wat zijn instinct hem opdroeg. Hij kon het toch ook niet helpen dat die jongen zo dom was geweest?

's Middags had hij het bezoek gekregen van twee politieagenten. De vader van de jongen had officieel een klacht ingediend en de agenten moesten nu een proces-verbaal opstellen. Er kon zelfs een rechtszaak van komen. César antwoordde eerlijk op hun vragen. Ze moesten vooral weten of de hond een kwaadaardig karakter had en of hij al andere mensen had gebeten. Daarna waren de agenten weer weggegaan en hadden in hun PV geschreven dat het om een ongeluk ging. Ze waren allebei in het dorp opgegroeid en kenden César en zijn hond door en door. Ze begrepen heel goed dat het afmaken van Satan het doodvonnis zou betekenen van de oude man. César was een monument en niemand kon zich het kerkhof inbeelden zonder hem. Toen de tijd was gekomen om met pensioen te gaan, had hij dit geweigerd. De burgemeester die hem zelf heel goed kende, had bij uitzondering toegestaan dat hij op het kerkhof mocht blijven werken tot aan zijn dood.

César legde zijn bril op de schrijftafel naast de kaart met de percelen van de begraafplaats. Het grootste deel van zijn werk werd nu op het gemeentehuis gedaan. Hij had net een stapel brieven ontvangen met daarop de grafmonumenten waarvan de vergunning was verlopen. Als de nabestaanden niet meer betaalden voor een graf of er waren geen nabestaanden meer, dan werd het geschud. Zo kwam er weer plaats vrij voor iemand anders. Het was een werkje dat César verafschuwde en hij was blij dat het nu door iemand anders werd uitgevoerd. Niettemin was het nog altijd zijn taak om de grafzerken weg te halen.

Henriëtte Evenpoels had een mager pensioentje, waarmee ze amper de huur van haar appartementje kon betalen, laat staan dat ze de vergunning van het graf van haar man kon vernieuwen. César kende Henriëtte al van voor de oorlog en kon het niet over zijn hart krijgen om het graf van Albert aan te kruisen. Het was gewoon teveel ellende voor één dag. Hij keek op de pendule, die naast de dossierkast hing. Het was bijna zes uur. Weer een dag voorbij. Een dag die niet erger kon. Hij liep het kantoortje uit en slofte naar Satans hok. De hond lag aan de ketting, zoals de agenten hadden opgedragen, en lag met zijn kop op zijn voorpoten. Hij keek zijn baasje droevig aan; het brak Césars hart.

De oude man pakte Satans drinkbak, goot het vieze water leeg tegen een boom en vulde hem opnieuw onder het kraantje dat naast het kantoortje uitkwam.

Toen hij de bak weer naast het hok zette, zag César dat Satan zijn eten niet had aangeraakt.

De rottweiler jankte zachtjes en hijgde heel zwaar. Op dat moment voelde de oude man, dat er iets mis was.

'Satan? Wat is er, jongen?'

César knielde naast zijn hond en aaide het dier over de kop. Satan jankte nog een keer, bijna onhoorbaar en zuchtte toen diep. Het hijgen stopte en de donkere hondenogen bleven star en bewegingloos voor zich uit staren. Zijn kop zakte scheef in Césars hand. Satan was dood.

De zon ging langzaam onder terwijl César huilend zijn trouwe Satan begroef naast het kapelletje, exact op de plek waar Yannick en Hanne, deze ochtend heel vroeg, hand in hand hadden gestaan.

De volgende ochtend vond een vroege bezoeker César achter zijn bureautje, weggedommeld in een eeuwige slaap, met de halsband van zijn trouwe levensgezel tegen zijn borst gedrukt.

[6] Bezoek van de bakker

'César was oud', zei Davy toen Hanne de volgende dag op het schoolplein met het nieuws kwam aanzetten. 'Als hij gisteren niet gestorven was, dan misschien wel vandaag of volgende week.'

'Het is zo triest', zei ze. 'Die oude man is gewoon gestorven van verdriet.'

'Maar hoe komt het dat zijn hond zomaar doodgaat?' vroeg Yannick zich af.

'De worstenvingers van Wim hebben het beest vast een indigestie bezorgd', grapte Karel en kreeg hierop prompt een flinke tik tegen zijn achterhoofd met de groeten van Hanne.

'Aaaauw! Trut!'

Hierop kreeg hij nog een tik van Yannick.

'Ze zeggen dat Wims pa het beest vergiftigd heeft', zei Davy.

'Depoorter is een lul met een grote bek,' zei Yannick, 'maar zoiets zou hij niet doen.'

'Mensen zijn soms tot rare dingen in staat', zei Karel, die nog steeds over zijn achterhoofd wreef (Hanne had verschillende grote ringen aan haar vingers).

Daar waren de anderen het mee eens.

'Zeker als het gaat over mensen of dieren die ze liefhebben', zei Hanne.

'Da's waar', zei Yannick, terwijl hij Hanne bewonderend aangaapte.

'Het is in ieder geval de enige logische mogelijkheid. Als het de vader van Wim niet is geweest, dan was het vast iemand anders. Een of ander ander flipkonijn dat het in de krant heeft gelezen en zelf voor politieagent wilde spelen.'

Hanne zuchtte. 'Het zou allemaal niet gebeurd zijn, als wij gisteren thuis waren gebleven.'

'Begin je nou weer?' zeurde Karel. 'Waarom zou het onze fout zijn dat iemand het in zijn kop haalt om een hond te vergiftigen?'

Ook papa vond dat de theorie dat Satan vergiftigd was niet meteen als larie moest afgedaan worden.

'Het gebeurt meer dan je denkt', zei hij toen hij met zijn jongens aan het avondeten zat. Vorig week nog hebben ze in Antwerpen een man opgepakt die alle katten in zijn straat had vergiftigd met rattenvergif. Toen ze hem vroegen waarom hij het deed, zei hij dat hij katten niet kon uitstaan.'

'Denk je dat hij ertoe in staat is?' vroeg Yannick. 'Ik bedoel, Marcel Depoorter.'

'Ik heb zes jaar lang met de klootzak in de klas gezeten. Als iemand hem iets deed, dan kon die hetzelfde dubbel terugkrijgen. Ik kan me best inbeelden dat hij na het ongeluk van zijn zoon door het lint is gegaan en iets in Satans voer heeft gedaan.'

Yannick en Davy keken elkaar peinzend aan. Het eten op hun bord was al koud.

'Denk je dat hij César ook heeft...?'

Hun vader schoot in de lach. 'Vergiftigd? Nee, Yannick. Marcel Depoorter is een klootzak, maar hij is ook een lafaard. Een weerloze hond vergiftigen, tot daar aan toe, maar een mens vermoorden? Nee, dat zie ik hem niet meteen doen.'

'Maar mensen kunnen rare dingen doen.'

'Dat is waar. Maar Marcel Depoorter is geen moordenaar. Dat kan ik je verzekeren.'

Die avond kon Yannick zich maar moeilijk op zijn huiswerk concentreren. In zijn hoofd hoorde hij Hannes stem steeds weer opnieuw: *gestorven van verdriet*. Tot vandaag had hij nooit echt geloofd dat zoiets mogelijk was. Het leek hem zo'n zinloze dood en hij kon het niet helpen zich toch een klein beetje schuldig te voelen. Misschien moest hij maar eens een dagboek bijhouden, waarin hij alles van zich af kon schrijven.
Davy had zijn huiswerk al gemaakt en knutselde in zijn pyjama aan een schaalmodel van een Porsche. Yannick hield het voor gezien en sloeg zijn rekenschrift dicht. Hij zou morgen tegen juf Katrien zeggen dat hij hoofdpijn had gehad. Dat trucje had al vaker gewerkt en zeker als hij haar daarbij met droevige hondenoogjes aankeek.
Ook hij had nog maar net zijn pyjama aangetrokken, toen de deurbel ging.
De broers keken elkaar aan.
Wie kon dat nog zijn?
Ze hoorden papa de voordeur opendoen en met iemand praten. Het was de stem van Marcel Depoorter! Wat kwam die doen? Yannick voelde een lauwe angst in zijn buik. Stel dat Wim hem had verklikt!
'Yann, wat ga je doen?' fluisterde Davy.
Yannick sloop op zijn blote voeten de gang in en leunde over de borstwering bovenaan de trap. Papa en mijnheer Depoorter waren de woonkamer binnen gegaan. De deur was dicht en hij kon doffe stemmen horen, onverstaanbaar. Mijnheer Depoorters stem klonk bedrukt. Nu ja, dat wilde nog niks zeggen. Zijn kind lag zwaargewond in het ziekenhuis. Je zou van minder bedrukt worden.

Davy kwam naast zijn broer staan.

'Hoor je wat ze zeggen?'

Yannick schudde nee. Hij liep naar de trap en sloop voorzichtig de eerste treden af. Hij moest op z'n minst bij de deur naar de woonkamer zien te komen, zodat hij zou kunnen verstaan wat ze zeiden. Terwijl hij verder naar beneden liep, hoorde hij zijn broer achter zich. Davy was al even nieuwsgierig. Yannicks tenen krulden toen zijn voeten de koude tegels in de hal raakten. Het licht van de woonkamer scheen door de oranje gewolkte ruitjes van de dubbele tussendeur en wierp een vurige gloed op de vloer. De deur stond op een kier. Yannick sloop verder en loerde door het spleetje naar binnen. Depoorters dikke hoofd stak boven de rugleuning van de bank uit. Er hing spanning in de lucht, maar nu kon hij ook verstaan wat de mannen tegen elkaar zeiden.

'Joris, ik zweer je dat ik er niks mee te maken heb! Ik heb een klacht ingediend bij de politie, maar dat zou jij in mijn geval ook gedaan hebben. Maar het recht in eigen handen nemen, daar doe ik niet aan mee. Ik heb verdorie een reputatie hoog te houden!'

'Ze zeggen dat...'

'Ze zeggen zoveel en van mij mag je geloven wat je wil. Al wat ik je kan verzekeren is dat ik geen dierenmoordenaar ben!'

Hij nam een slok van een glas whisky, dat Joris voor hem had ingeschonken. Yannick zag hoe zijn vader bezorgd naar de man keek. Zou hij hem geloven of niet?

'Maar ik ben hier niet om mezelf te verdedigen tegen roddels', vervolgde mijnheer Depoorter. 'Ik wou een beroep op je doen, Joris; een vriendendienst...'

Alweer een vriendendienst, dacht Yannick. Hopelijk liet papa zich geen tweede keer vangen.

'Wat voor vriendendienst?' vroeg Joris.

'Zondag heeft Wim zijn plechtige communie gedaan. Ik heb hem toen een ring gegeven. Een familie-erfstuk. Hij is niet alleen erg veel geld waard, maar ik heb hem nog van mijn vader gekregen en die van de zijne... Hij is meer dan honderd jaar oud.'

'Jouw vader?'

'De ring! Wim droeg die ring op de avond dat hij is aangevallen.'

'Hebben ze hem dan niet bij Wims bezittingen bewaard in het ziekenhuis?'

'Hij zat aan zijn rechter ringvinger en die is... nu ja, je weet wel.'

Wim was drie vingers kwijt en zijn ringvinger was er daar een van. Zijn ring, waarmee hij de hele dag had lopen pochen, was samen met Wims wijs-, middel- en ringvinger in Satans maag terechtgekomen.

'Wat wil je dat ik daaraan doe?' vroeg mijnheer Casteleyns.

'Vlak voor zijn dood heeft César zijn hond nog op het kerkhof begraven. Ik ben bereid om je goed te betalen als je mij die ring kunt terugbezorgen.'

'Ik heb een vergunning om dode dieren te prepareren die ik langs de weg vind of die mensen me komen brengen', antwoordde Joris. 'Ik ga ze niet opgraven op het kerkhof!'

'Twaalfduizend euro. Handje contantje.'

Joris had er nog iets aan toe willen voegen, maar toen Marcel het bedrag noemde, viel hij op slag stil.

Ook aan de andere kant van de deur in de hal vielen twee monden open.

Mijnheer Casteleyns nam een slok van zijn whisky, alsof de alcohol hem kon helpen om een beslissing te nemen. Iets wat Yannick danig betwijfelde. Twaalfduizend euro was een heel jaarloon!

Mijnheer Depoorter stak zijn hand in zijn jaszak, produceerde een bundeltje met zestig briefjes van honderd en gooide het op de salontafel.

'De helft nu en de helft in ruil voor de ring.'

Yannick zag hoe zijn vaders blik zat vastgelijmd op de stapel groene briefjes. Hij reikte zijn hand uit en pakte het geld aan. Zo'n smak geld had hij nog nooit in een keer in zijn handen gehad! Met zijn loon van de universiteit had hij maar net genoeg om zichzelf en zijn twee jongens te onderhouden. Maar met dit bedrag kon hij een spaarpot aanleggen, zodat Yannick en Davy zonder geldzorgen naar de universiteit konden. In gedachten zag hij Yannicks gezicht al wanneer hij de jongen zou vertellen dat ze dit jaar niet naar Oostende op vakantie zouden gaan, maar naar Egypte...

'Nog eens zesduizend in ruil voor de ring?'

Mijnheer Depoorter knikte. 'Ik ben een man van mijn woord, dat weet je.'

Er viel opnieuw een lange stilte, terwijl Joris met zijn vingers door de bundel geld bladerde, alsof het een tijdschrift was. Toen stond hij eindelijk op en zei: 'Ik bel je zodra ik de ring heb.'

Mijnheer Depoorter stond nu ook op. Yannick merkte voor het eerst dat de bakker een flinke kop groter was dan zijn vader. Het was vreemd om te zien hoe ze elkaar de hand schudden. Het was dan ook geen vriendschappelijke handdruk, maar een louter zakelijke overeenkomst.

Toen de twee mannen aanstalten maakten om de hal in te gaan, slopen de twee luistervinken zo snel en zo stil ze konden de trap weer op.

De volgende ochtend zagen Yannick en Davy meteen aan papa's bedrukte gezicht dat hij spijt had van zijn beslissing.

Natuurlijk wilden de broers niet laten merken dat ze het gesprek hadden afgeluisterd en daarom vroeg Yannick wat er scheelde.

Hun vader had hen nog nooit iets voorgelogen en vertelde dan ook over Depoorters bezoek en dat de bakker hem had gevraagd om de ring te bezorgen in ruil voor flink wat geld.

'En, heb je het aangenomen?' vroeg Davy onschuldig.

Hun vader knikte en nam een slok van zijn koffie.

'Stom van me', voegde hij eraan toe. ' Ik had verdomme moeten zeggen dat hij het zelf moest doen. Als het ooit uitkomt dat ik een hond heb opgegraven op het kerkhof, dan kan ik mijn brevet als preparateur verliezen.'

'Wij hebben alleen een zwembrevet,' zei Yannick, 'en ik denk niet dat ze ons dat zullen afpakken.'

'Doe niet gek, jongen. Het is illegaal om een lijk op te graven op het kerkhof, zelfs al is het een hond!'

'Maar het is een *mensen*kerkhof,' zei Davy, 'geen dierenkerkhof. Als ze ons betrappen, kunnen we altijd zeggen dat we het lijk naar het dierenkerkhof wilden verhuizen.'

'Dat is briljant!' riep Yannick uit, maar hun vader deelde niet in hun enthousiasme.

'Ik kan jullie er niet bij betrekken', zei hij. 'Het is geen spelletje.'

'Nee', zei Yannick. 'Twaalfduizend euro is geen spelletje!'

Pas toen het eruit was, besefte hij dat hij zijn mond had voorbijgepraat. Zijn vader keek raar op.

'Ik heb jullie toch niet gezegd om hoeveel geld het ging?'

Yannick keek betrapt naar zijn bord. Nu moesten ze wel toegeven dat ze hadden staan luisteren, maar papa was gelukkig niet kwaad. Hij glimlachte zelfs en keek hoofdschuddend naar zijn twee jongens.

'Het kerkhof is 's nachts gesloten, dat weten jullie toch?'

'En hoe wou jij er dan binnen komen?' vroeg Davy.

Hun vader viel stil.

'Daar heb ik nog niet echt over nagedacht.'

'Het lukt ons wel er binnen te komen', flapte Yannick eruit.

'Er is... Karel, een jongen uit de klas, heeft ons een gat in de haag getoond. Waarschijnlijk is Wim zo ook naar binnen gegaan.'

'Zijn jullie soms ook al zo naar binnen gegaan?'

'Alleen Yannick!' weerde Davy zich en kreeg prompt een trap tegen zijn schenen.

Nu werd papa wel boos.

'Nou, daar mag je trots op zijn, Yannick! Voor hetzelfde geld lag jij nu in het ziekenhuis in plaats van Wim!'

Yannick keek opnieuw naar zijn broodje chocopasta, waar hij nog maar één hap van had genomen.

'Sorry papa. Het was stom van me. Maar we waren met z'n vijven. Wim is achteraf alleen teruggegaan! Dat was nog stommer!' Hij pauzeerde even en zei toen: 'Maar nu is er geen hond meer. Er is niemand meer. De kans dat iemand ons betrapt is klein.'

'Yannick heeft wel gelijk', zei Davy. 'En je hebt mijnheer Depoorter je woord gegeven. Als je zijn ring niet hebt, dan breek je je woord.'

'En hij je armen', lachte Yannick, maar hij meende het niet echt.

Hun vader moest er wel om lachen.

'Jullie hebben gelijk,' zei hij uiteindelijk, 'maar ik kan niet toelaten dat jullie 's nachts lijken gaan opgraven.'

'We hebben natuurlijk ook nog nooit dode beesten gezien', zei Davy gekscherend. 'De diepvrieskist in de kelder zit er vol mee.'

'Er is een verschil tussen een dood beest in de diepvries en eentje dat al een paar dagen onder de grond heeft gelegen', zei hun vader. 'De details ga ik jullie besparen.'

'Papa, je hebt het zelf gezegd: als je betrapt wordt, kun je je brevet verliezen. Als wij betrapt worden, hebben we een goeie smoes.'

'Trouwens,' voegde Yannick eraan toe, 'ik denk niet dat je door het gat in de haag kunt.'

Papa nam gefrustreerd een hap uit zijn broodje. Het leek erop dat hij niet veel keus had.

'Je kunt wel op de uitkijk staan', stelde Davy voor. 'Met een snelle vluchtauto. Een BMW of een Audi met een valse nummerplaat!'

Hun vader glimlachte, maar toen klonk het deuntje van *The A-Team*. 'Ik zal erover nadenken', zei hij, terwijl hij zijn zingende mobieltje uit zijn broekzak viste.

[7] De Ene Ring

Na de middagpauze had juf Katrien een verrassing. Wim was aan de beterende hand.

'En hij staat te popelen om jullie allemaal terug te zien!'

'Nou, wij niet hoor', zei Davy net zacht genoeg.

De schoolbus bracht de leerlingen naar het universitair ziekenhuis, dat een paar kilometer verderop langs de autosnelweg lag.

Juf Katrien kende de weg, want ze was Wim eerder al gaan opzoeken. Hij lag op de kinderafdeling, kamer 326. Derde verdieping, bij de liften links.

Wim deelde de kamer met twee andere jongens. De ene jongen zat op de rand van het bed van de andere en ze speelden een kaartspelletje. Wim deed niet mee. Hij zat op een stoel naast zijn bed met zijn handen in zijn schoot naar de vloer te staren en keek niet eens op toen juf Katrien joelend binnenkwam. Dat deden de twee andere jongens wel en ze moesten erom lachen. Ja, juf Katrien kon behoorlijk uitbundig doen. De klas dromde samen rond de jongen op de stoel, maar hij leek het niet eens te merken. Zijn rechterhand zat helemaal in het verband en hij zag zo wit als de lakens op zijn bed. Het was net alsof hij al zijn bloed verloren had tussen het kerkhof en de drempel van zijn huis – wat voor een deel ook wel het geval was.

'Hoe gaat het nu met je, Wim?' vroeg juf Katrien op luide

toon, alsof Wim met zijn vingers ook een stuk van zijn gehoor had verloren.

Dat had wel effect, in die zin dat hij eindelijk opkeek. Maar het leek er meer op dat hij reageerde op het stemgeluid. Zijn mond ging een beetje open, maar in plaats van iets te zeggen kwijlde hij op zijn pyjama.

'Ik denk dat hij wat moe is', zei juf Katrien uiteindelijk. 'In het ziekenhuis liggen is geen pretje, hè?'

Er op bezoek gaan ook niet, wilde Yannick eraan toevoegen, maar hij hield zijn mond.

De juf loodste haar leerlingen weer naar buiten, maar de tweeling bleef opzettelijk treuzelen. Ze bleven staan bij de twee jongens, die helemaal opgingen in hun kaartspel. De jongste van de twee had rosse stekeltjes en sproeten en was ongeveer even oud als Yannick en Davy. Hij had een pleister op zijn arm, waaruit een buisje vertrok naar een zakje met een heldere vloeistof, dat aan een standaard naast zijn bed hing. De andere jongen was een jaar of twee ouder, had donker haar en uit het gipsverband om zijn been staken akelige stalen pinnen.

'Hoi', zei Yannick.

De oudste van de twee keek op.

'Heeft hij tegen jullie al iets gezegd?' vroeg Davy.

De oudere jongen schudde zijn hoofd.

'Geen woord', zei de jongste, terwijl hij zijn kaarten zorgvuldig voor zijn makker verborgen hield. 'De verpleegsters halen hem 's morgens uit zijn bed en zetten hem op de stoel. Daar zit-ie de hele dag naar de vloer te staren.'

'Behalve als ze het eten brengen', voegde de oudere jongen eraan toe. 'Hij eet als een varken. En hij plast in zijn bed en op de vloer. Echt smerig!'

'Wat heeft hij eigenlijk?' vroeg de jongste. 'De verpleegsters

zeggen dat hij gebeten is door een hond, maar ik geloof er niks
van. Het is net alsof hij een hersenoperatie heeft gehad, of zo.'
'De verpleegsters vertellen de waarheid', zei Yannick, waardoor de twee jongens vreemd opkeken. Het was inderdaad
niet te geloven.

Yannick en Davy namen afscheid en wierpen bij het naar
buiten gaan nog even een blik naar Wim. De vlek kwijl op
zijn pyjama was groter geworden en was met een sliert verbonden aan zijn mond.

De klas had zich verzameld in de grote hal beneden en juf
Katrien had net op het punt gestaan om de Casteleyns broers
te gaan zoeken toen Yannick en Davy uit de lift kwamen.
Davy zei snel dat ze nog even bij hun vriend hadden willen
blijven om afscheid te nemen. Dat vond juf Katrien erg ont-
roerend.

'Heeft hij tegen jullie iets gezegd?' vroeg Hanne, toen ze in
de bus weer naar school reden.

'Die jongens op de kamer vertelden ons dat hij nog geen
woord heeft gesproken', vertelde Davy.

'Het was net alsof wij er niet waren', voegde Karel eraan toe.
'Hij staarde alleen maar...'

'Ik vond het eng', zei Hanne. 'Het is net alsof er iets scheelt
in zijn hoofd.'

'Dat zeiden die jongens ook', zei Yannick.

'Hij is vast getraumatiseerd', veronderstelde Karel. 'Ik heb
eens een reportage gezien over een meisje dat een vreselijk verkeersongeval had overleefd. Sindsdien heeft ze geen
woord meer gezegd.'

'Maar hij zou ons dan toch op z'n minst herkend moeten
hebben', bedacht Hanne.

Daar waren ze het allemaal mee eens. Er was iets mis met
Wim, zoveel was zeker.

Papa kwam pas om half zeven thuis. Na de hele dag college te hebben gegeven op de universiteit was hij nog een kijkje gaan nemen op het kerkhof. Naast het kapelletje had hij een plekje omgewoelde aarde gevonden met daarop een kruisje. In beverige letters had César er nog de naam van zijn hond op geschreven. Daarna was mijnheer Casteleyns het gat in de omheining gaan opzoeken, dat Yannick voor hem had beschreven. Het was ontzettend nauw en hij moest uiteindelijk inzien dat hij de klus niet zou kunnen klaren zonder hun hulp. Het voorstel van Davy om op uitkijk te gaan staan, vond hij een uitstekend idee. Zo kon hij hen steeds te hulp schieten als er iets misliep. Hun smoes was bovendien beter dan op het eerste gezicht had geleken. Het was een mensenkerkhof en daar hoorde een hondenlijk niet thuis.

Toen ze hun huiswerk hadden gemaakt, togen Davy en Yannick aan het werk om hun nachtelijke tocht voor te bereiden. Een zaklamp stond bovenaan Yannicks lijstje. Hij zou geen tweede keer vergeten om licht mee te nemen.

Ze hadden ook een schop nodig en een stevige vuilniszak om hun buit in te stoppen.

Davy had alle gegevens nauwkeurig op een blaadje genoteerd, net zoals hij een huurmoordenaar had zien doen in een film:

Onderwerp: rottweiler, zwart, 11 jaar oud
Gestorven: 12 mei omstreeks 18 u 10
Doodsoorzaak: vergiftigd?
Eigenaar: Cesar Verwimp
Lokatie: Gemeentelijke begraafplaats, naast de kapel.

Als hij nog een foto van Satan had gehad, dan had hij die er vast ook nog bij geplakt.

Yannick vond de informatie niet echt nuttig, maar op de

achterzijde had Davy een ruwe plattegrond van het kerkhof geschetst. Met een kruisje op de plek waar hun vader Satans graf had gevonden. Dat was al wat nuttiger. Hij had waarschijnlijk ook nog geprobeerd om de plattegrond op schaal te tekenen, te merken aan de enorme stapel papierpropjes in zijn papiermand.

Het was kwart voor elf toen ze beneden kwamen. Hun vader was nog zenuwachtiger dan zij samen en was al drie keer naar de wc geweest. Zijn handen beefden toen hij de rugzak openritste die Yannick en Davy hadden gepakt. Hij controleerde alles nauwgezet en stopte er nog twee paar rubber handschoenen bij en een fles eau de cologne.

'Een lijk in staat van ontbinding is één gigantische hoop bacteriën', vertelde hij. 'Dat raak je niet aan met je blote handen en het stinkt als de pest!'

Yannick en Davy waren het met hun vader eens dat, zelfs zonder bacteriën, een rottend hondenlijk niet echt het leukste was om met je blote handen aan te raken.

De maan was niet meer vol en onderweg naar het laatste kwartier. De grijze Seat Cordoba van de Casteleyns stopte een eindje bij de kerkhofpoort vandaan en doofde zijn lichten. Yannick en Davy stapten uit en staken de straat over, die op dit uur van de avond volledig verlaten was. In de verte sloeg de dorpskerk half twaalf.

Het gat in de haag was in exact dezelfde staat als toen Wim er voor de laatste keer doorheen was gekropen met zijn verminkte hand. Yannick zag nog bloedresten op de bladeren van de haag, en de stenen op de grond waren gestippeld met donkere ronde vlekjes.

Hij kroop als eerste door het gat en verwachtte half tegenover Satan te komen staan, maar er gebeurde natuurlijk niets.

Satans hok stond leeg naast het kantoortje, waar César zijn hele leven had gewerkt en waar hij twee dagen geleden zijn laatste adem had uitgeblazen.

De drinkbak van de hond stond naast zijn hok. De regenbui van vanmiddag had hem opnieuw gevuld. Davy scheen de bundel van de zaklamp langs de zitmaaier. Yannick voelde een rilling over zijn rug lopen. Hij kon het niet verklaren, maar op een of andere manier had hij het gevoel dat Satan er nog was. Dat hij hier rondliep en ergens in een donker hoekje klaar lag om hen te bespringen. De jongen bande de gedachte uit zijn hoofd. Dit was een plek van de dood en het enige dat hier leefde waren de wormen en de maden onder de grond.

Terwijl de jongens langs de grafzerken liepen, staarden de doden op de foto's hen aan. In de bewegende lichtbundel van Davy's zaklamp leek het even alsof ze tot leven kwamen. Een leger van piepkleine zwart-wit mensen.

De maan scheen door het loodglas in de ramen van het kapelletje, waardoor het leek alsof er in het gebouw een laaiend vuur woedde. De tweeling bleef staan bij het houten kruisje dat uit de omgewoelde aarde stak. Het laatste wat César in zijn leven had geschreven, was de naam van zijn trouwe hond.

Davy gooide de rugzak op de grond en wierp de spade voor de voeten van zijn broer.

'Waarom moet ik het doen?' vroeg Yannick.

'Omdat ik de oudste ben.'

'Je bent *eenentwintig minuutjes* ouder!' protesteerde Yannick.

'Al was ik drie seconden ouder, ik ben altijd de oudste.'

'Klootzak!' Met tegenzin raapte Yannick de spade op.

'Het spijt me, César', zei hij stil en plantte de spade in de grond. Gelukkig had César de kracht, noch de moed gehad om zijn geliefde Satan erg diep te begraven en het duurde dan ook niet lang voor Yannick weerstand voelde. Een misselijkmakende stank kwam uit de put naar boven.

'Jouw beurt!' zei hij en wierp zijn broer de rubber handschoenen toe. Opeens had Davy spijt dat hij Yannick had laten graven. Hij wurmde zijn vingers in het rubber en terwijl hij zijn adem inhield, borstelde hij de aarde weg van de zwarte vacht. Yannick wrikte ondertussen de spade onder het lijk en leunde op de steel, zodat het hele lichaam uit de aarde omhoog kwam. Een krioelende massa witte maden kwam tevoorschijn en Davy strompelde achteruit met een klinkend 'Godverdefuck!'. Hij drukte zijn bovenarm tegen zijn neus, zodat hij de lavendel waspoedergeur van zijn jack opsnoof. Satans muil hing open en in zijn oren, neus en zelfs tussen zijn ogen kronkelden en wriemelden de maden, terwijl ze zich tegoed deden aan het rottende vlees.

Yannick doordrenkte twee zakdoeken met eau de cologne en gaf er een van aan zijn broer. Hij kon er maar even aan ruiken, want hij had zijn beide handen nodig om Satans lijk op te tillen. Satan was een grote hond en behoorlijk zwaar. Davy legde hem even neer naast de put. Terwijl hij zijn adem inhield, wiste hij met zijn hand de meeste larven van Satans snuit. Dit was de hond die hen twee dagen geleden naar het leven had gestaan. Zijn ogen waren gesloten, het was net alsof hij sliep. Yannick liet zijn handen over de modderige vacht strelen, maar trok ineens terug toen hij zich realiseerde dat amper centimeters onder Satans vacht, in zijn maag, de drie vingers van Wim zwommen.

Met z'n tweeën stopten de broers het hondenlichaam in de vuilniszak en legden er een stevige knoop in. Yannick blies zijn adem uit en snoof meteen weer aan het zakdoekje.

'Man, wat een stank!'

Met hun buit veilig opgeborgen, vulden de jongens de kuil, waarna Yannick het kruisje opnieuw in de aarde plantte. Niemand die zou merken dat Satans graf leeg was.

Het was een vreemd gezicht om de twee kleine schimmen tussen de grafzerken te zien lopen. De ene droeg de rugzak en de spade. De andere zeulde met de grote vuilniszak en scheen de zaklamp voor hen uit.

Bij de kruising aan het begin van het kerkhof, trok Davy zijn broer ineens achter een grafmonument. Yannick zag licht bij het kantoortje. In de nachtelijke stilte kwetterde een walkietalkie. De poort was open en de jongens zagen twee schaduwen in uniform. Een van hen tuurde door het raam naar binnen, de ander scheen met zijn zaklamp over de zerken.

'Shit! Politie! Doe dat licht uit verdomme!'

Davy griste de zaklamp uit Yannicks handen en knipte hem uit.

'O fuck!' vloekte Yannick, want de agenten kwamen hun kant uit! De jongens doken naar de grond. Het plastic van de vuilniszak knisperde oorverdovend. Yannick voelde zijn hart zo hard kloppen, dat hij dacht dat het tot ver buiten het dorp te horen was.

De agenten waren met elkaar aan het praten en leken Yannicks bonzende hart niet te horen. Ze droegen allebei een lange wapenstok aan hun gordel, een busje traangas, een stel handboeien en een holster met daarin een glanzende revolver. Dingen waarmee je liever geen kennis maakte.

'Kom mee!' siste Davy, zodra de agenten uit het zicht waren en trok zijn broer bij de mouw.

De jongens renden half gebukt en zo snel als ze konden naar de openstaande poort. Op de stoep verstijfden ze toen ze werden gevangen in een felle lichtbundel. Yannick schermde zijn ogen af en zag de blauwe lichtbalk op het dak van de auto. De motor draaide, maar er zat niemand in. Waar was papa? Yannick en Davy maakten dat ze uit de koplampen van de politiewagen waren. Die agenten waren hier niet gekomen omdat ze zin hadden in een wandelingetje. Dat betekende dat iemand hen had gezien.

Opeens gingen wat verder in de straat twee rode achterlichten aan. De jongens staken de straat over en spurtten zo snel ze konden naar de auto.

'Zoiets doe ik nooit meer!' zwoor Davy terwijl hij op de achterbank van de warme auto plofte.

Gelukkig zou de politie niets vinden en zouden ze de melding afdoen als loos alarm. Wat deden ze eigenlijk met kinderen die betrapt werden bij het opgraven van een lijk? Gingen die naar de gevangenis? Waarschijnlijk niet. De jeugdrechter zou vast denken dat ze een of andere nare stoornis hadden en hen in een instelling laten opsluiten. Dat was nog erger dan de gevangenis.

Pas toen hij onder de lakens van zijn warme bed kroop, durfde Yannick opgelucht adem te halen. Het was eigenlijk best spannend geweest. Een beetje té spannend naar zijn zin.

[8] Nachtmerries

Hoewel hij het niet liet merken, was de spanning ook voor de vader van Yannick en Davy wat teveel van het goede geweest en hij had zich ziek gemeld bij het secretariaat van de faculteit waar hij college gaf. Zo had hij de hele dag om zich bezig te houden met de opdracht van Marcel Depoorter.

Toen Yannick en Davy die dag van school kwamen, lag de ring op tafel te weken in een schoteltje met vaatwasmiddel. Hun vader kwam net de keldertrap op met de vuilniszak en keek zijn jongens veelzeggend aan.

'Dit is geen twaalfduizend euro waard', zei hij terwijl hij de zak demonstratief optilde.

Als hij prepareerde werkte hij met dode dieren die nog vers waren. Niet met karkassen die al half waren aangevreten door insecten, stonken als de pest en waar een gelige saus van halfverteerde ingewanden uitdrupte als je hen optilde.

Hij liep door de tuindeur naar buiten om de zak onder het afdakje naast het schuurtje te zetten. Morgen onderweg naar de universiteit zou hij hem afleveren bij het vilbeluik. Daar kon Satan dan een nieuw leven beginnen als veevoeder.

Toen hij weer binnenkwam, waste hij zijn handen – voor de veertiende keer in een uur tijd, zo zou hij achteraf vertellen - en haalde de ring uit het sopje. Na wat gepoets met een wollen doekje, blonk hij weer als nieuw. Niemand die nog kon vermoeden dat het sierraad bijna twee dagen in de maag van een ontbindend hondenlijk had doorgebracht.

'Die is op z'n minst vijf keer meer waard', zei hij, terwijl hij het kleinood in de palm van zijn hand bekeek. Hij snapte nu waarom Marcel Depoorter er zoveel geld voor over had.

'Je zou kunnen zeggen dat je de ring niet hebt teruggevonden en hem zelf verkopen', stelde Davy voor.

Papa antwoordde niet alsof hij er even over nadacht, maar zei toen op bitse toon: 'Zo ben ik niet en zo heb ik jullie ook niet opgevoed.'

Davy keek een beetje beschaamd naar zijn hand waarmee hij tegen het aanrecht leunde.

'Maar als jullie toch zo gefascineerd zijn door al wat blinkt, mogen jullie morgen de ring gaan brengen.'

'Ik ook?' riep Yannick uit.

'Ja, jij ook.'

'Maar ik heb niks gezegd! Het is niet omdat we op elkaar lijken dat we allebei gestraft moeten worden!'

Maar zijn vader draaide zich om en keek de andere helft van zijn tweeling zo nors aan, dat de jongen een stapje achteruit deed.

'Yannick. Ik heb het afgelopen uur met mijn handen in een rottend lijk gezeten. Ik ben dus niet in de stemming om ruzie te maken!'

'SNIEERLIJK!' Yannick stormde woedend de keuken uit en rende de trap op naar zijn kamer, waar hij de deur met een knal dichtsloeg. Maar toen hij aan zijn bureau ging zitten om aan zijn huiswerk te beginnen, kon hij zijn vader wel een beetje begrijpen. Hij had de stank geroken toen ze Satan hadden opgegraven en hij had het gevoel alsof de maden, die hij op de hond had zien kruipen, nu in zijn eigen hoofd rond wriemelden.

•

Het was donker buiten en Yannick merkte dat hij aan zijn bureau in slaap was gevallen. Hij keek om, maar Davy's bed was onbeslapen. Hoe laat was het eigenlijk?

Een bliksemschicht lichtte even de hele kamer op en de donder dreunde over het dorp. De wekkerradio was uit en Yannick drukte op de schakelaar van zijn bureaulampje. Er was geen stroom. Zou de bliksem zijn ingeslagen? De jongen liep de gang in en sloop de trap af. Beneden was het ook donker en er was niemand. Yannick tastte naar de lichtschakelaar naast de deur en drukte. Er volgde een klik, maar ook hier bleef het donker. Een nieuwe bliksemflits deed de hele kamer oplichten en aan de muur grijnsde een everzwijnkop de jongen aan. De hele woonkamer weerkaatste even, bol vervormd in de glazen oogjes van het dier en Yannick zag zichzelf erin, klein en alleen.

'Papa? Davy?'

Het antwoord was een daverende donderslag, waardoor de borden in de kast rinkelden. Het onweer kwam dichterbij.

Yannick liep de keuken in en vond een briefje op de koelkast.

Ben in de kelder. Je eten staat in de magnetron.

Hij keek door het ruitje in de oven en zag diepvrieslasagne op een bord liggen. Hij drukte op de knop en realiseerde zich tegelijkertijd dat de oven niet zou werken als er geen elektriciteit was. Maar het licht achter het ruitje floepte aan en de lasagne begon rondjes te draaien, terwijl het display langzaam aftelde.

Was er dan weer stroom? Yannick probeerde de lichtschakelaar, maar ook nu weer kwam er geen licht. Waarschijnlijk was alleen de zekering van de verlichting gesprongen. Dat verklaarde tenminste waarom de magnetron het wel deed. De oven biepte. Dat was snel! Yannick pakte zijn avondeten eruit en ging aan tafel zitten. Het rook lekker en hij had enorme honger. Gelukkig had je om te eten geen licht nodig, want lasagne was even lekker in het donker. Hij sneed een dik stuk af en propte het in zijn mond. Een nieuwe bliksemschicht verlichtte even de hele keuken en het bord op de tafel. In plaats van gesmolten kaas, wriemelden er honderden witte maden in de lasagne. Yannick gaf een gil en spuwde zijn eten uit. De tomatensaus met vliegenlarven spoot over de tafel. De jongen rende naar de kraan en spoelde zijn mond uit.

Was dat soms papa's idee van een grap? Nee, daarvoor was het te gruwelijk. Zelfs Davy zou zijn broer nooit zoiets aandoen. Het was eerder iets voor Wim.

Yannick liep de gang in en bonsde op de kelderdeur.

'Papa?'

Geen antwoord. Hij probeerde de deurklink. De kelderdeur ging krakend open. Yannick gluurde door het kiertje naar binnen, maar zag alleen maar duisternis. Er was nog steeds geen stroom, maar papa kon toch niet werken in het donker? Bovendien hing de zekeringkast beneden in zijn atelier. Hij had dan toch makkelijk zelf even de zekering kunnen vervangen?

'Papa?' Yannick duwde de deur verder open. Hij hoorde iets beneden, maar het klonk niet als papa. De bliksem lichtte even het hele atelier op en Yannicks adem stokte in zijn keel. Twee vurige ogen, inktzwarte vacht met kluiten aarde erin en tanden zo scherp als een aardappelmesje. Satan gromde boosaardig, net zoals hij had gedaan toen ze hem hadden ontmoet op het kerkhof. Yannick voelde de blik van de demonische hond dwars door hem heen boren; een blik vol haat en bloeddorst. Onverwacht schoot het monster met een immense snelheid de trap op. Yannick deinsde in paniek achteruit, sloeg de deur dicht en draaide de sleutel om, maar de hond beukte dwars door het paneel heen alsof het papier was en sprong bovenop de schreeuwende jongen. Yannick voelde de scherpe tanden in zijn hals en zag zijn eigen bloed tegen het zandgrijze behang spatten.

'Jeez, man!'
Dat was de stem van Davy in het donker en Yannick was ervan overtuigd dat hij zijn eigen gil nog hoorde nagalmen in de kamer.
'Sorry', zei hij, nog half versuft. Hij was kletsnat van het zweet en sidderde over zijn hele lijf. Davy's bed was leeg en nu zag hij pas dat zijn broer voor het raam stond.
'Er is iemand in onze tuin, Yann.'
'Wat?' schrok Yannick. 'Wie?'
'Hoe kan ik dat nou weten?'
Yannick wipte zijn bed uit en stommelde naar zijn broer bij het raam.
'Ik kon niet slapen', fluisterde Davy, 'want jij lag te woelen en te kermen. Toen hoorde ik iets beneden in de tuin. Ik zag niks, maar toen gaf jij me daar een gil... Om je wezenloos te schrikken!'
Yannick drukte zijn neus tegen het raam. Zijn adem besloeg tegen het glas en hij wiste de damp weg met zijn hand.
'Luister!' zei hij stil. Hij hield zijn adem in en Davy legde zijn oor tegen het koude glas. Er klonk een zacht gejank buiten. Het was een hond, zonder twijfel.
Yannick wiste opnieuw de damp van zijn adem weg. Hij kon in het donker nog net de vuilniszakken zien staan onder het afdakje naast het schuurtje...
'Daar beweegt iets!'
'Waar?'

'Daar, die vuilniszak!' Het was de zak met Satans lijk erin. De zak kronkelde en wriemelde.

'Shit man!' vloekte Davy, wat voor Yannick het bewijs was dat hij het ook zag.

Toen scheurde de vuilniszak en een gele, slijmerige vloeistof drupte eruit, gevolgd door een poot met ruige natte pels.

Het was een poot van Satan! Hij leefde!

'Shit man! Shit man!' herhaalde Davy half luid. Zijn ademhaling was snel en angstig.

De poot vond houvast op de grond en een andere poot klauwde de scheur verder open. Satans kop kwam tevoorschijn. Zijn ogen waren open; twee doffe, glazige knikkers. De hond was nu half uit de zak en klauwde zich vast in de aarde om zijn achterlijf uit het plastic te bevrijden. Yannick moest denken aan zo'n bevalling van op tv. Een geboorte uit een plastic baarmoeder...

Nog wat wankel, probeerde de hond op zijn vier poten te staan. Zijn opengesneden maag en zijn lever hingen uit een brede opening in zijn buik en zijn darmen sleepten over het gras. Satan neigde zijn kop naar de sterrenhemel en huilde. Het was een verschrikkelijk geluid dat ijskoude stroompjes over je ruggengraat zond en dat Yannick en Davy nooit meer wilden horen. Toen trippelde Satan weg en verdween door de heg in de tuin van de buren.

Yannick keek naar zijn broer en zelfs in het pikkedonker, zag hij dat Davy lijkbleek was.

'Euhm... Davy?'

Davy draaide zich langzaam naar zijn broer en keek hem met opengesperde ogen en openhangende mond aan.

'Alles oké?'

'Heb jij dat ook gezien?'

Yannick knikte.

'Maar hij was toch dood? Ik heb het zelf gezien... en geroken.'

'Ik... ik ben niet meer zo zeker dat hij dood is', antwoordde Yannick en hoopte dat hij snel wakker zou worden.

Toen Yannick zijn ogen opende, zag hij dat het bed van zijn broer opnieuw leeg was, maar het daglicht stroomde volop de kamer in; de belofte van een zonnige zaterdag. Hij trapte de lakens van zich af en zat moeizaam rechtop op de rand van zijn bed. Wat een nare dromen!

Davy kwam binnen, fris uit de douche en knipte met zijn vingers een paar druppels water naar zijn broer.

'Hou op!'

'Slecht geslapen?' vroeg Davy, terwijl hij zich aankleedde.

'Niet echt; wel naar gedroomd.'

'Ik ook', antwoordde Davy. 'Het heeft vast te maken met dat hondenlijk dat we hebben opgegraven. Misschien zijn we wel getraumatiseerd en worden we later seriemoordenaars!'

'Jij bent al getraumatiseerd van je geboorte', lachte Yannick.

Hun vader kwam net uit de tuin toen Yannick en Davy aan het ontbijt begonnen. Hij had een emmer en een dweil vast en zijn handen staken in gele rubber handschoenen.

'Wat is er pap? Is de grote schoonmaak uitgebroken?' grijnsde Davy.

Hun vader kneep er alleen maar een geïrriteerde grijns uit en begon boven de spoelbak zijn handschoenen uit te trekken.

'Er is vannacht een of ander dier in de tuin geweest', zei hij met zijn rug naar de jongens. 'De zak met het lijk erin is helemaal opengekrabd. Je kunt je niet voorstellen wat een smurrie!'

Hij draaide zich om en zag dat de jongens hun toast met respectievelijk aardbeien- en perzikenjam in hun bord hadden neergelegd.

'Het rare is dat het beest er op een of andere manier is in geslaagd om het hele karkas mee te nemen.' Hij glimlachte een beetje zuur, want hij hoopte natuurlijk dat het hondenlijk niet zou opduiken in het park of, erger, in de zandbak bij de peuterspeelzaal.

'Da's raar', zei Davy, terwijl hij zijn toast bekeek alsof het iets was dat hij net uit zijn neus had gehaald. 'Ik heb vannacht gedroomd dat het lijk er vandoor ging.'

Yannick keek verrast op. 'Dat heb ik ook gedroomd!'

De twee jongens keken elkaar verbaasd aan.

'Wat raar', lachte Davy. 'We hebben allebei hetzelfde gedroomd!'

'Misschien was het dan toch geen droom', bedacht Yannick.

Maar papa lachte. 'Jullie hebben veel te veel fantasie. Eén ding weet ik absoluut zeker en dat is dat dode honden niet zomaar in hun eentje aan de wandel gaan. Dat is iets dat thuishoort in een griezelfilm; niet in het echte leven.'

Hij wierp de rubber handschoenen in de emmer en ging de keuken uit.

'Ik heb het niet gefantaseerd', zei Yannick. 'Ik weet nog dat je zei: *Maar hij was toch dood?*'.

'Misschien hebben we het dan toch niet gedroomd,' zei Davy, 'maar het was wel donker en we sliepen nog half. Papa heeft gelijk. Dode honden worden niet weer levend. We hebben het ons vast verbeeld.'

Maar Yannick wist wat hij had gezien. Papa kon nog duizend keer zeggen dat ze het zich hadden ingebeeld.

[9] Schokkend nieuws

'Marcel neemt de telefoon niet op', was het eerste wat hun vader zei toen de jongens uit de keuken kwamen. 'Ik vrees dat jullie toch even langs zullen moeten gaan.'
'Is het nu zo'n ramp om een dagje langer op het geld te wachten?' vroeg Davy.
'Ja', beaamde Yannick. 'En als hij zich niet aan de afspraak houdt, heb je een mooie reden om de ring te verkopen.'
'Geen gezeur. Breng maar broodjes mee voor vanmiddag.'
Hij gaf de jongens een briefje van vijf. Dat was eigenlijk wel vreemd, aangezien de bakker hun zesduizend euro verschuldigd was. Papa leek het ook te snappen en zei toen: 'Koop er zelf maar iets van als je de ring hebt afgeleverd.'
Dat klonk al een stuk verleidelijker.
De ring was van de keukentafel naar het asbakje op de schoorsteenmantel verhuisd. Yannick stopte hem veilig in zijn portefeuille tussen het kleingeld.
Toen ze de bakkerij naderden en zagen dat het rolluik van de winkel gesloten was, wisten de broers dat er iets mis was. *Brood en banket Depoorter* was normaal altijd open op zaterdag. In het midden van het luik was een briefje vastgemaakt met kleefband: *gesloten wegens sterfgeval*.
Davy keek naar zijn broer. 'Denk je dat Wim...?'
Yannick wist niet wat hij moest denken. Wim was toch aan de beterende hand?

'Er staat niet bij wie het is. Misschien wel een oom of een van de grootouders.'

'Nou, in ieder geval ga ik niet met lege handen naar huis!' zei Davy vastberaden. Hij zette zijn fiets tegen de gevel en belde aan bij de voordeur.

'Davy! Nee!' riep Yannick.

Maar de deur bleef dicht en er zat voor de tweeling niets anders op dan weer naar huis te rijden.

Daar vonden ze hun vader op de bank in de zithoek. De weekendkrant lag geopend in zijn schoot en hij zag eruit alsof hij een spook had gezien.

Toen Yannick en Davy binnenstormden met het gewone kabaal, stond hij op en voordat Yannick kon wegrennen, pakte zijn vader hem beet en drukte hem keihard tegen zich aan.

'Auw, papa! Je verplettert m'n lever!'

Zijn vader liet hem los, maar pakte zijn arm beet en keek hem streng aan. Er stonden tranen in zijn ogen en Yannick wist dat het geen grapje was.

'Beloof me om nooit meer zoiets stoms te doen!'

'Wat is er?' vroeg Yannick geschrokken. 'Wat heb ik gedaan?'

'Dat is er,' zei Davy. Hij had de krant opgepakt en gaf hem aan Yannick.

Het was een klein artikeltje, maar toch al iets groter dan het nieuws over Wims ongeval: JONGEN OVERLIJDT NA HONDEN-BEET

Dus toch! Yannick voelde een droefheid vanbinnen die hem verraste. Dit had Wim niet verdiend. Hij begreep nu waarom zijn vader hem zo'n stevige knuffel had gegeven. Voor hetzelfde geld was hij het geweest.

'Eigenlijk verbaast het me niks', zei Yannick toen hij zorgvuldig de deur van hun kamer had gesloten. 'Er was iets mis met hem en het had niks te maken met het feit dat hij drie vingers miste.'

'Waarmee dan wel?' vroeg Davy. 'Hij zat vast vol medicijnen en pijnstillers. Dan ga je er vanzelf een beetje verdoofd uitzien.'

'Wim was niet verdoofd. Je hebt zelf ook gezien hoe hij eraan toe was. Het was net alsof... hij al dood was, maar het nog niet goed besefte.'

Davy proestte het uit. 'Je bent dood of je bent het niet, of heb je soms weer zombiehonden gezien?'

'Jij hebt hem ook gezien!' weerde Yannick zich.

'Het was donker, je kon er echt alles van maken!'

'Het was licht genoeg! Stel dat... de ziel van Wim op een of andere manier in Satan is overgegaan!'

Nu lag Davy pas echt in een deuk. 'Jeez man!' gierde hij. 'Jij hebt veel te veel griezelfilms gezien!'

'Trouwens,' vervolgde hij toen hij een beetje was bedaard, 'als zoiets zou kunnen, dan zou dat toch veel vaker gebeuren, niet?'

'Ik weet het niet. Misschien hebben ze een soort band met elkaar gekregen toen Satan hem gebeten heeft. Er zat toch een stukje van Wim in Satan?'

'Drie stukjes', verduidelijkte Davy. 'Misschien is Satan wel weer levend geworden omdat hij zin had in nog meer stukjes Wim?' Davy begon opnieuw te lachen, maar Yannick lachte niet.

'Dat is briljant!' riep hij uit.

'Het is een grapje!'

'Nee, stel je voor! Misschien had Karel gelijk en was Satan behekst! Hij is vannacht opgestaan en naar het ziekenhuis gegaan om Wim te vermoorden!'

'Yannick! Luister naar jezelf!' zei Davy nu doodernstig. 'Je hebt veel te veel in die boeken over de Egyptenaren zitten lezen! Geesten, mummies, zombies... dat bestaat allemaal niet!'

'Maar er zijn wel twee mensen die het hebben gezien', zei Yannick.

'Wie dan wel?'

'De jongens op de kamer waar Wim lag.'

'Vergeet het, Yannick. Wim is dood. Waarom wil je nu ineens alles gaan napluizen?'

'Omdat ik weet wat ik vannacht heb gezien. Er is iets raars gebeurd, Davy. Misschien weiger jij dat te geloven, maar ik niet!'

Davy zuchtte, maar stemde toch in om mee te gaan. Al was het maar om erbij te zijn wanneer zijn broer met zijn neus op de harde feiten werd gedrukt.

Een half uurtje later stak de tweeling de parkeerplaats over die tussen de bushalte en de entree van het universitaire ziekenhuis lag.

Op kamer 326 was een damspel aan de gang tussen de twee jongens die tot gisternacht een kamer hadden gedeeld met Wim. Natuurlijk waren ze verbaasd om Yannick en Davy terug te zien. Toen de tweeling vertelde waarvoor ze kwamen, werd het damspel meteen onderbroken.

De jongste heette Michiel en de oudere Ronald en ze maakten er geen probleem van om te vertellen wat er die nacht was gebeurd. Nee, een hond hadden ze niet gezien, maar Wim had de hele kinderafdeling bij elkaar geschreeuwd, alsof hij onbeschrijfelijk veel pijn leed. Toen de nachtverpleegster de kamer binnenkwam, was hij al ineengezakt op zijn bed.

'Hij ademde niet meer,' zei Ronald, 'en terwijl ze aan hem werkten, hebben ze ons naar een andere kamer gebracht.

Pas toen we 's morgens terugkeerden, hoorden we dat hij dood was.'

'Tot zover de wraak van de zombiehond', zei Davy met een grijns.

'Zombiehond?' lachte Michiel.

'Laat maar', zei Yannick. 'Jullie weten dus niet waaraan hij gestorven is?'

Ronald en Michiel haalden allebei tegelijk hun schouders op.

'Dat weet alleen de dokter.'

'Wie is dat? Hoe heet hij?'

De jongens keken elkaar even vragend aan. Toen zei Michiel: 'Het is een vrouw en haar naam is... het heeft iets met temperatuur te maken.'

Yannick en Davy trokken een rare snuit. 'Temperatuur?'

'Ja, ze is nogal een heet konijn', grijnsde Ronald.

'Nee, dokter Warm! Dat is het!' riep Michiel uit.

'Wat een naam!' liet Davy zich ontvallen.

De broers bedankten de jongens en Yannick nam zijn broer meteen mee op sleeptouw door de gangen. Aan de overkant van de lift hing een bord waarop de namen van het personeel van de afdeling stonden.

'Je gaat die dokter toch niet lastigvallen?' vroeg Davy toen hij doorkreeg wat zijn broer van plan was. 'Je weet nu dat Satan er niks mee te maken heeft. Wim is dood. Jammer, maar het leven gaat verder.'

'Geen dokter Warm', zei Yannick ontgoocheld, terwijl hij de lijst voor de vijfde keer doornam.

Er was wel een dokter Schelfhout, een professor Hageman en een stuk of tien andere namen.

'Tuurlijk niet!' zei Davy. 'Dat joch heeft ons in de maling genomen en ik denk... hé wacht es effe! Kijk!'

Davy drukte zijn vinger tegen het glas van het bord. Eronder stond: *Dokter A. Waremme.* Het klonk in ieder geval hetzelfde, waardoor het logisch was dat Michiel de naam verkeerd had begrepen.

'Je bent een genie!' zei Yannick en hij liep meteen weer de afdeling op, op zoek naar de dokter. Davy zuchtte en liep hem achterna, maar had de grootste moeite om Yannick bij te houden.

'Denk je echt dat die dokter niets beters te doen heeft dan naar de fantasieën van een elfjarige te luisteren? Er is geen zombiehond!'

Yannick stopte zo bruusk, dat zijn gympen piepten op de vloertegels en draaide zich naar zijn broer.

'Snap je het nu nog niet? Wim *kan* niet gestorven zijn als gevolg van de wond aan zijn hand! Zelfs al raak je een arm of een been kwijt, dan nog zul je er niet van sterven. Niet als je in het ziekenhuis wordt verzorgd. Wim had nog iets anders; iets dat hij misschien heeft opgelopen van Satan. Iets dodelijks, zoals AIDS, maar dan nog erger...'

Davy keek zijn broer verbaasd aan, maar lachte niet. Wat hij beweerde kon best wel eens waar zijn.

'Maar het kan toch ook in het bloed hebben gezeten dat ze hem hebben gegeven.'

'Misschien, maar stel dat het niet zo is en dat de hond nog iemand bijt!'

Davy rolde geërgerd met zijn ogen. Daar was de onzin weer.

'De hond is DOOD!'

'Volgens jou wel, volgens mij niet.'

Davy zuchtte, maar volgde zijn broer toch door de ziekenhuisgangen. Na het twee keer aan een verpleegster gevraagd te hebben, botste de tweeling op dokter Waremme toen ze net uit de kamer van een patiënt kwam. Ze had lang donkerbruin haar dat achteraan in een paardenstaart was vastgemaakt en droeg een grote ronde bril. Om haar nek bungelde een stethoscoop. Op haar witte jas, net boven de borstzak, waarin drie pennen zaten, prijkte haar naam: Dr. Annelies Waremme.

'Dokter, mogen wij u iets vragen?' vroeg Yannick beleefd.

'Ja tuurlijk', zei ze meteen. Ze leek een beetje verrast om twee identieke jongens voor haar neus te zien.

'Ik ben Yannick en dit is mijn broer Davy. We zijn vrienden van Wim. Wim Depoorter, de jongen die vannacht overleden is.'

'Och ja', zei ze met ingetogen stem. 'Het spijt me jongens. Was hij een goeie vriend?'

'Jawel', loog Yannick. 'En we zouden graag weten waaraan hij gestorven is.'

Dokter Waremme keek nu nog vreemder.

'Waarom?'

'Mijn broer wil later dokter worden', verduidelijkte Davy.

'Nou, veel valt er niet over te zeggen', zei de dokter. 'Er zijn complicaties opgetreden. Dat gebeurt wel vaker.'

'Maar er moet u toch iets vreemds zijn opgevallen?' vroeg Yannick.

'Iets vreemds? In welke zin?'

'We hebben hem een paar dagen geleden bezocht. Hij herkende ons zelfs niet. Hij was precies...' Yannick moest denken aan oude mensen in een bejaardentehuis, die de hele dag star voor zich uit zaten te staren en die als een baby moesten gevoerd worden. '... hoe heet dat ook alweer... sement.'

'Dement', verbeterde dokter Waremme hem.

'Ja, dat is het!' Yannick lachte verlegen.

Er verscheen een milde glimlach rond de mondhoeken van

de dokter. Yannicks glimlach had wel vaker dat ontwapenende effect op dames en meisjes.

'Zat er soms iets in zijn bloed? Iets dat er niet thuishoort? Een besmetting of zo?'

De glimlach van de dokter verdween als bij toverslag.

'Wat er in zijn bloed zit, gaat jou niets aan', zei ze streng. 'Dat staat in zijn medisch dossier en dat is geheim.'

'Dat weet ik wel, maar u kunt toch wel zeggen of u iets vreemds heeft ontdekt?'

'Het spijt me, jongens, maar het medisch geheim is heilig. Ik kan jullie niet helpen.'

'Ik begrijp het', zei Yannick en zette hierbij zijn meest treurige blik op, in de hoop dat de dokter alsnog zou smelten. Maar dokter Waremme was een kinderarts. Zielige blikken hadden geen effect op haar.

'Een hele zaterdag verknoeid omdat jij spookhonden ziet!' morde Davy terwijl ze in de lift stapten. Hij drukte op de knop, maar er gebeurde niets. Daarom beukte hij er nog eens hard met zijn vuist tegen, waarbij hij zich nog bezeerde ook. 'Klotefucklift!'

'Sukkel!' lachte Yannick. 'Je hebt op -1 gedrukt. We moeten op de begane grond zijn.' En hij duwde op de knop met de letters BG. Hij zag nu ook waarom de knop naar niveau -1 niet werkte. Er zat een contactslot naast die knop. Alleen met de juiste sleutel zou de lift je naar de kelder brengen.

'O', zei Davy, terwijl hij zijn pijnlijke vuist knuffelde. 'Ik dacht dat het een spooklift was.' En hij gaf zijn broer een plagerige grijns.

Terwijl ze in de bus naar huis reden, keek Yannick een beetje afwezig uit het raam naar de voorbij zoevende gevels. Hij was teleurgesteld dat de zoektocht op zo'n domme manier moest eindigen. Misschien hadden papa en Davy toch gelijk.

Misschien hadden ze het zich dan toch allemaal maar verbeeld. Misschien hadden ze gewoon een andere hond gezien
die er met Satans lijk vandoor ging en misschien was Wim
inderdaad gewoon verdoofd van de pijnstillers, zoals Davy
vermoedde. Misschien was hij inderdaad gestorven als
gevolg van complicaties? Misschien was zijn hart verzwakt
en had zijn zwaarlijvigheid hem uiteindelijk de das omge-
daan?

Misschien.

[10] Een wonder

Op school was iedereen met zijn gedachten bij Wim en het was akelig stil op het schoolplein. Yannick zag Hanne helemaal alleen op een bank zitten en haastte zich naar haar toe. Toen hij naast haar ging zitten, pakte ze meteen zijn hand vast.

'O, Yannick', zei ze met tranen in haar stem. 'Het is zo vreselijk. Ik bedoel, Wim was wel een klootzak, maar dit heeft hij toch niet verdiend.' Yannick schudde alleen maar zijn hoofd en zei natuurlijk niets over wat er dit weekend allemaal was gebeurd.

Wat Wim ook niet verdiende, was de stroperige toespraak van de directrice, mevrouw Steenwyck. Met tranen in de ogen en een zakdoek in haar hand, kon ze maar niet genoeg benadrukken wat een lieve en aardige jongen Wim was geweest en hoe hij iedere dag weer de zon had laten schijnen in de klas.

'Geef me je pennenzak!' fluisterde Davy in Yannicks oor.

'Waarom?'

'Ik geloof dat ik moet kotsen.'

'En waarlijk,' sloot de directrice op overdreven plechtige toon af, 'er zit een stukje van Wim in elk van ons.'

Karel, die voor Yannick zat, kantelde zijn stoel naar achter en fluisterde: 'En drie stukjes in de buik van Satan.'

Yannick moest zich inhouden om het niet uit te proesten,

want dat zou hem niet in dank worden afgenomen. Het was inderdaad rot dat Wim zo jong had moeten sterven, maar dat was nog geen reden om hem als een god af te schilderen. *Over de doden niets dan goeds*, zegt het spreekwoord.

'De begrafenis is zaterdag', ging Steenwyck verder, nadat ze haar ogen met de zakdoek had drooggewreven. 'Wim zou het op prijs stellen als de hele klas aanwezig was.'

Kon ze nu ook al met geesten praten? Wim zou een hartgrondige hekel gehad hebben aan al dat gedoe. Nu ja, reden te meer om er heen te gaan.

De vader van Yannick en Davy moest het komende weekend naar een congres in Londen. Hij zou vrijdagavond al vertrekken en kon de jongens dus niet naar de kerk brengen.

Tijdens de middagpauze klampte Yannick Hanne aan en vroeg haar of haar ouders hen misschien naar de kerk konden brengen.

'Tuurlijk!' antwoordde ze en ze leek waarachtig blij dat Yannick het had gevraagd. Haar vader zou hen zelfs thuis komen oppikken, zei ze. Daar zou ze persoonlijk voor zorgen.

'Mijn ouders zouden jullie ook wel gebracht hebben hoor', protesteerde Karel.

'Als mijn broer verliefd wordt op jou, zal jij de eerste zijn aan wie hij het vraagt', legde Davy haarfijn uit. Yannick gaf zijn broer een stomp. Zijn gezicht had de kleur gekregen van zijn colablikje. Gelukkig was Hanne al de eetzaal uit en had ze het niet gehoord.

•

Yannick en Davy waren het gewend om voor zichzelf te zorgen. Dat deden ze toch al bijna iedere dag, want de colleges van hun vader duurden vaak tot zes of zeven uur. Yannick vond zelfs dat ze beter hun plan konden trekken dan papa als hij alleen was.

'Denk erom, Yannick, jij bent de verantwoordelijke helft', fluisterde Joris Casteleyns in het oor van zijn jongste. 'Hou je broer wat in toom.' Hierop wierp hij een blik naar Davy, die op de bank voor de tv lag.

Hun vader had begin dit jaar het besluit genomen dat zijn jongens te oud waren geworden voor een oppas. Nu ja, eigenlijk had hij geen zin om nog eens zijn verontschuldigingen te moeten aanbieden aan een negentienjarige studente omdat Davy haar twee euro had aangeboden in ruil voor een blik in haar bh. Bovendien was zijn zoektocht naar lelijke oude oppassen op niets uitgedraaid.

'Ik beloof dat ik hem in het oog hou', zei Yannick met een lachje.

'En vergeet niet je nette kleren aan te trekken. Het is een begrafenis, geen dagje Efteling.'

Yannick wist ook wel dat je niet in T-shirt en gympen moest komen opdagen op een begrafenis. Zelfs al was het die van Wim.

'Onze apenpakkies', noemde Davy hun beste kleren, maar Yannick vond dat ze meer met kelners gemeen hadden dan met apen. Ze bestonden uit een wit hemd, grijze das en een broek en jasje in neutraal zwart. Ze konden zowel dienst doen bij huwelijken als bij begrafenissen, prijsuitreikingen, toespraken van papa en uiteraard ook bij het opnemen van bestellingen in een restaurant als dat nodig was.

De begrafenisplechtigheid ging door om tien uur in de dorpskerk, maar Hanne hing al om kwart voor negen aan de bel. Dat was maar goed ook, want noch Davy, noch Yannick had er enig idee van hoe ze hun das moesten knopen.

Hanne droeg een lange zwarte jurk en haar haren hingen los. Yannick dacht dat zijn hart een slag oversloeg toen ze haar armen om zijn schouders legde om zijn das te knopen. Hannes vader had ze met de Mercedes opgehaald en Davy was dan ook in zijn nopjes. Hij bestookte de arme man tijdens de rit dan ook met vragen over cilinderinhoud en pk's. Er hadden zich al wat mensen voor de kerk verzameld; de meeste waren kinderen uit de klas. En ook juf Katrien was er met de directrice. Wims ouders namen bij de ingang van de kerk de condoleances in ontvangst.

Wat moest je ook alweer zeggen? 'Intieme deelname'? Nee, dat kon het niet zijn.

'Innige deelneming', zei Hannes vader, terwijl hij ingetogen de hand van mijnheer Depoorter schudde en Yannick herhaalde het woord voor woord.

Toen de grijze lijkwagen arriveerde – een *Chevrolet Caprice Classic* volgens Davy – mochten alle *innige deelnemers* plaatsnemen in de kerk. De witte kist werd door vier mannen in zwarte pakken naar voren gedragen en Yannick kon het niet helpen zich af te vragen waarom het er geen zes waren voor een jongen van Wims omvang.

Pastoor Schillebeeks, die twee weken geleden nog Wims plechtige communie had begeleid, begon de plechtigheid met een gedicht over een dood kind. Allemaal heel triest. Yannick hoorde verschillende mensen hun neus ophalen. Ook Hanne had haar zakdoek tevoorschijn gehaald en veegde haar ogen droog. Yannick legde troostend zijn hand op haar arm. Ze glimlachte en fluisterde heel stil: 'Je bent lief.'

'Zou je verkering met me willen?'

Het was eruit voor hij het wist en hij kon zich wel voor de kop slaan dat hij nu net dit moment had uitgekozen. Hij verwachtte dat ze kwaad zou zijn, dat ze haar arm zou wegtrekken... Maar haar glimlach werd alleen maar breder en toen zei ze: 'Ja.'

Yannick voelde een onweerstaanbare drang om op te springen en luidkeels zijn vreugde uit te roepen. Maar het was een van de dingen die je maar beter niet kon doen tijdens een begrafenisplechtigheid. Yannick vond dat hij zijn afspraakjes met Hanne in het vervolg toch beter moest uitkiezen. Een kerkhof, een begrafenis.... als het zo doorging, zou hij haar nog ten huwelijk vragen aan iemands sterfbed.

Maar toen stond iedereen op en Yannick dacht even dat ze allemaal zouden applaudisseren omdat hij de moed had gehad om het te vragen. Maar dat zou natuurlijk belachelijk geweest zijn. Hanne gaf hem lachend een stomp toen hij in zijn verwarring was blijven zitten. Hij vouwde zijn handen samen en zag dat Hanne mee prevelde met de woorden.

'Ik wist niet dat Wicca ook tot God bidden?' fluisterde hij.

'Ik bid niet,' antwoordde ze. 'ik zorg gewoon dat ik niet uit de toon val. Moet je ook eens proberen.' Ze gaf hem een knipoogje en Yannick glunderde.

De rest van de plechtigheid leek in sneltreinvaart voorbij te gaan. Yannick en Hanne hadden alleen oog en oor voor elkaar en hielden de hele tijd elkaars hand vast.

Het versleten orgel verminkte het *Ave Maria* van Gounod zo erg dat sommige mensen in de kerk grimassen trokken bij iedere valse noot. Intussen liep pastoor Schillebeeks met het wierookvat om de kist en zwaaide ermee. Yannick vond dat het stonk.

BOM

Een diepe dreun galmde door de middenbeuk van de kerk. Het leek alsof iemand op een grote trom sloeg. Of was het een onderdeel van het orgel dat het soms had begeven? Pastoor Schillebeeks bleef staan, het wierookvat knarsend en piepend aan zijn koperen ketting. Het *Ave Maria* was ten einde en de laatste valse noot stierf uit tussen de gewelven.

BOM-BOM

Nee, dat was het orgel niet. De pastoor bleef vol ongeloof naar de kist staren.

BOM-BOM

Mensen begonnen te fluisteren. Wat gebeurde er? Wat was dat gebons?
'Maak de kist open!' riep mijnheer Depoorter en stormde naar voren. Hij duwde de pastoor bruusk opzij en begon aan het witte deksel te wrikken. Dat was natuurlijk stevig vastgeschroefd met blinkende geelkoperen bouten.

BOM-BOM

Het kwam inderdaad uit de kist! Dat begonnen de rouwenden in de kerk zich nu ook te realiseren. Een verbaasd geroezemoes steeg op.
'MAAK GODVERDOMME DIE KIST OPEN!' schreeuwde Depoorter. Zijn vloek dreunde door de kerk als de valse noten van het orgel, maar pastoor Schillebeeks bleef alleen maar geschokt naar de witte doodskist staren. De begrafenisondernemer kwam naar voren gerend. Hij had een etui met gereedschap uit de *Chevrolet Caprice Classic* gehaald en

begon de bouten los te draaien. Dat duurde even en ondertussen bleef het gebonk aanhouden. Het werd niet zwakker
of sterker, telkens twee bonzen tegen het deksel. Een dame
was onwel geworden en van haar stoel gezakt. Drie mannen
probeerden haar weer bij bewustzijn te brengen.

Een voor een kletterden de bouten op de kerkvloer. Nog
eentje te gaan, maar de begrafenisondernemer kreeg zelfs
de kans niet om hem los te maken. Met een klap vloog het
deksel omhoog en landde naast de kist op de achttiende-
eeuwse vloertegels.

Twee blauwe handen kwamen uit de opening tevoorschijn.
Eén hand had slechts een duim en een wijsvinger en klemde
zich als een klauw om de rand vast. Wim hees zich overeind uit het rode fluweel en verschillende mensen gilden in
afgrijzen.

'Shit!' bracht Hanne ontzet uit en kneep in Yannicks hand
alsof ze zich ervan wilde vergewissen dat ze droomde.

Zelfs in zijn beste pak zag Wim er verschrikkelijk uit. Zijn
lichaam en zijn gezicht waren helemaal opgezwollen, waardoor hij wel twee keer zo dik leek als toen hij nog leefde.
Afgezien van zijn blauwe handen en een paar rode vlekken
in zijn nek, was zijn huid zo wit als het hout van de kist;
bijna transparant. Zijn ogen waren dof en melkachtig van
kleur en staarden verbaasd voor zich uit, alsof Wim zich probeerde te herinneren waar hij was terechtgekomen. Een verschrikkelijke stank walmde de kerk in; dezelfde lijkengeur
die Yannick en Davy bij het graf van Satan hadden geroken.
Het stonk naar rotte eieren en een toilet dat al weken niet
was doorgespoeld; maar dan nog tien keer erger.

'WIM!'

Mevrouw Depoorter rende naar voren en sloot haar dood-
gewaande zoon snikkend in haar armen. Ze leek niet eens

te merken dat hij er meer dood dan levend uitzag en dat hij een bijzonder kwalijke stank afgaf.

'Huu...oeim', bracht Wim uit in een poging om de klanken van zijn eigen naam na te bootsen.

Zijn ouders tilden hem samen uit zijn doodskist en merkten niet dat de andere aanwezigen een stapje achteruit deden. Yannick zag voor zijn geestesoog weer het opengesneden lijk van Satan uit de vuilniszak kruipen en er vandoor gaan.

'Ik denk dat de plechtigheid voorbij is', zei Hannes vader met een lachje. Hij zag ook een beetje bleek en wist niet goed hoe hij met de hele onverwachte situatie moest omgaan. De plechtigheid voor een dood kind, was nu omgeslagen in consternatie en vreugde.

[11] Satans terugkeer

Het was stil in de auto toen Yannick en Davy met Hanne en haar ouders weer naar huis reden. Zelfs Davy's enthousiasme over mijnheer Gheeraerts Mercedes leek getemperd. Iedereen probeerde op zijn manier te snappen wat er vandaag was gebeurd.

'Het komt nog wel voor', zei Hannes vader na een poosje. 'De dokters stellen vast dat een patiënt overleden is, maar dat blijkt niet het geval te zijn. Zoiets heet *schijndood*.'

'Dat heb ik ook gehoord', zei Davy. 'Er was eens een man die ze hadden begraven en toen ze jaren later de kist weer opgroeven zaten er allemaal krassen aan de binnenkant van het deksel! Stel je voor, je wordt wakker in je doodskist, keihard hout en tonnen aarde boven je hoofd. Het is pikkedonker en je kunt amper bewegen en de lucht raakt langzaam op...'

'Hou op Davy!' Yannick had gemerkt dat Hanne met afgrijzen aan het luisteren was en ze kneep hard in zijn hand. Dat was het sein geweest om zijn broer het zwijgen op te leggen.

'Het is maar goed dat Wim wakker is geworden in de kerk en niet een uurtje later', zei Hannes vader.

'Geen wonder dat hij zo bleek zag', voegde Hannes moeder eraan toe. 'De stakker heeft natuurlijk de schrik van zijn leven gehad.'

Yannick liet mijnheer en mevrouw Gheeraert in de waan.

Hanne was al genoeg overstuur. Maar Wims miraculeuze herrijzenis had ineens een heel ander licht geworpen op de zombiehond van vorige week. Iemand die schijndood is, leeft nog en levende mensen hebben kleur in hun gezicht, zwellen niet op en stinken niet alsof ze al een week aan het ontbinden zijn.

Toen hij dit thuis aan Davy vertelde, schoot die in de lach.

'Jij ziet de laatste tijd echt overal zombies! Hannes pa heeft het toch uitgelegd? Het is allemaal perfect wetenschappelijk te verklaren.'

'Nee, Davy. Het is nu net *niet* wetenschappelijk te verklaren. Je hebt Wim toch ook gezien? Hij zag eruit als Satan toen we hem opgroeven, maar hij was niet dood... alleen aan het rotten.'

Davy had zijn das losgemaakt, maakte het bovenste knoopje van zijn hemd los en liet zich languit op de bank vallen. 'We weten niet eens zeker of we die nacht wel hebben gezien wat we zagen...'

Yannick ging op de rand van het salontafeltje zitten en keek zijn broer ernstig aan.

'Dat weten we wel zeker. *Jij* wilt het alleen niet geloven!'

'Luister', ging hij verder, 'Satan bijt Wim. De hond gaat dood om een onverklaarbare reden; Wim gaat dood om een al even onverklaarbare reden. Het lijk van de hond wordt weer levend; Wims lijk wordt weer levend. Zeg nu nog dat het allemaal toeval is.'

Davy ging rechtop zitten en keek zijn broer hoofdschuddend aan.

'Doden worden niet zomaar opnieuw levend! Het kan gewoon niet!'

'En toch is het gebeurd!'

'Als ze leven zijn ze niet dood!' beargumenteerde Davy.

Yannick zuchtte. Waarom had zijn broer toch zoveel moeite om zijn eigen ogen te geloven?

'Weet jij wat er met je lichaam gebeurt als je dood bent?'

Davy gooide zijn das op het tafeltje en haalde zijn schouders op. 'Je rot weg tot je een geraamte bent, punt uit.'

Yannick lachte, want dat was wel heel eenvoudig gesteld.

'Als je dood bent stopt je bloed met stromen,' legde hij uit, 'en zakt het naar beneden. Als je ligt, verzamelt het zich onderaan, in je rug en je nek en in je handen en voeten. De voorkant van je lichaam wordt helemaal bleek, maar de achterkant zit vol rode vlekken en je handen en je voeten worden helemaal blauw...'

'Dat had Wim ook!' snapte Davy.

Yannick knikte. 'Zoiets gebeurt alleen bij mensen van wie het hart niet meer klopt.'

Davy keek zijn broer verbaasd aan. Hij kon nu niet langer om de waarheid heen.

'Hoe weet jij dat allemaal?'

'Gezien op National Geographic.'

Davy zuchtte. 'Goed', zei hij na een korte stilte. 'Stel dat je gelijk hebt. Stel dat Satan een soort *vampierhond* was, die Wim in een zombie heeft veranderd...'

'Vergiftigd!' onderbrak Yannick hem. 'Satan is vergiftigd, anders zou hij niet doodgegaan zijn. En hij was al vergiftigd voordat hij Wim heeft gebeten.'

'Maar waarmee was hij dan vergiftigd en hoe?'

'Dat is iets voor de politie.'

Davy grinnikte. 'Wat ga je hen vertellen? Dat er zombies rondlopen? Zelfs als je volwassen zou zijn, zouden ze je meteen in het gekkenhuis stoppen.'

'Daarom hebben we bewijzen nodig, waar ze niet naast kunnen kijken.'

'En waar gaan we die vinden?'

'Misschien kunnen we wat van Satans voer in een flesje stoppen. Als we dat laten onderzoeken, kunnen ze in het ziekenhuis nagaan of er gif in zit.'

Maar Davy schudde zijn hoofd. 'Als er nog voedsel in zijn voerbak zat, dan is het inmiddels zo bedorven, dat je er niets meer mee kunt beginnen.'

'Je hebt gelijk', zuchtte Yannick. De enige bewijzen die ze hadden waren een loslopend hondenlijk en een levende dode jongen.

•

Die nacht kon Yannick maar niet in slaap komen. Hij moest steeds maar weer aan Wim denken. Die kille melkachtige ogen, de bijna doorzichtige witte huid en dan die akelige keelklanken die hij uitstootte. Een ding was zeker: het 'ding' dat uit de kist was gekomen, had niets meer gemeen met de dikke pestkop die iedereen het leven zuur maakte. Het was een ijselijke gedachte dat er een levende dode in het dorp was. Nee... twee levende doden en binnenkort misschien wel meer als Satan nog mensen beet.

Davy ronkte zacht en klonk als een trillend mobieltje. Hij zou zelfs blijven doorslapen als er een bom ontplofte. Yannick voelde dat hij moest plassen, stond op en liep op zijn blote voeten de gang in. De opgezette dieren staarden hem van alle kanten aan. Hij herinnerde zich dat hij als kleuter van vijf liever in zijn bed plaste dan langs die enge beesten naar de wc te moeten lopen. Gelukkig was hij nu niet meer bang en in zijn bed plassen deed hij al jaren niet meer. De badkamerdeur kraakte een beetje en Yannick tastte naar de lichtschakelaar. De tl-lamp boven de spiegel tikte zoemend aan en hulde de badkamer in een zee van licht.

Yannick had nog maar net geplast en wilde de wc door-
trekken toen een ijselijk gehuil het bloed in zijn aders deed
bevriezen. Het kwam uit de straat, vlakbij! Yannick schoof
het gordijn van het badkamerraam opzij en keek naar
buiten.

De straat was donker en stil. Achter het etalageraam van de
kledingzaak aan de overkant staarden lijkwitte mannequins
voor zich uit. Toen zag Yannick hem, onder het oranje licht
van de straatlantaarn.

Satan had niet gezien dat een jongen hem vanuit een van de
huizen gadesloeg. Hoe kon hij ook, hij had geen ogen meer.
Er zaten grote kale plekken in zijn pels en hij sleepte zich
meer voort dan dat hij liep. Yannick zag dat hij een van zijn
achterpoten miste; er bungelde slechts een bloederig stompje,
waaruit een stuk afgebroken bot stak. Waarschijnlijk was
hij aangereden door een auto. Zo'n verwonding was dode-
lijk voor een hond, om nog maar van de gapende scheur in
zijn buik te zwijgen. Zijn loshangende ingewanden sleepten
over de stoepstenen. Satan jankte opnieuw, stiller deze keer
en Yannick voelde medelijden voor het arme dier. Hij had er
toch ook niet om gevraagd om te blijven leven?

Foto! Schoot het door zijn hoofd. Als hij de hond op beeld
kon vastleggen, dan had hij een bewijs! Yannick spurtte de
badkamer uit en denderde zo hard hij kon de trap af, het
kon hem niet schelen als de hele buurt er wakker van werd.
Papa had zijn fototoestel mee op reis, maar in de lade van
het kastje naast de stereo lag de videocamera. Bewegende
beelden waren nog overtuigender en toen hij gekeken had
of er een cassette in zat, nam Yannick die dan mee. Toen hij
weer in de badkamer kwam, knipte hij het licht uit om de
weerspiegeling van de badkamer in de ruit te voorkomen.
Hij zette de camera aan, klapte het display open en schoof

voorzichtig het gordijn opzij. Satan was er nog. Hij snuffelde aan een vuilniszak.

Wat deed hij hier in de buurt van hun huis? Rook hij misschien de jongens die hem hadden opgegraven? Of misschien herinnerde hij zich de plek waar die man hem zo ruw had opengesneden om de ring van dat andere joch uit zijn maag te halen?

Yannick huiverde. Misschien rook hij hen wel, maar wist hij niet meer wat er was gebeurd of wat hij moest doen. Net zoals hij nu door het vuilnis snuffelde. Alsof hij zich nog vaag herinnerde wat hij als hond hoorde te doen, maar niet meer goed wist waarom. Het was niets meer dan een overblijfsel van zijn instinct, ergens diep vanbinnen in zijn rottende schedel.

Yannick steunde met de camera op een shampoofles, want zijn handen beefden te erg van opwinding. Er reed een vrachtwagen voorbij. De hond schrok en Yannick zag nog net Satans staart achter het muurtje aan de overkant verdwijnen. Hij wachtte nog een poosje, maar het dier kwam niet meer tevoorschijn. Niet erg, want hij had genoeg bewijsmateriaal. Hiermee zouden ze bij de politie steil achterover vallen.

[12] Een giftig spoor

Yannick was zo opgewonden dat het half vier was toen hij eindelijk in slaap viel. Hij was dan ook niet veel waard de volgende dag en zat met kleine oogjes boven zijn ontbijt te knikkebollen. Gelukkig was het zondag, anders was hij ook nog waardeloos geweest in de klas.

'Slecht geslapen?' vroeg Davy toen Yannick met een schok wakker werd en nog net voorkwam dat hij met zijn gezicht in zijn boterham met aardbeienjam belandde.

De jongen keek verdwaasd op en zijn broer schoot in de lach, want er zat een ronde kwak jam op het puntje van Yannicks neus.

'Hou op', zei hij met een zucht.

'Wil je koffie?' vroeg Davy. 'Of een ijskoude douche misschien?'

'Ik zal jou es een ijskoude douche geven', dreigde Yannick en nam nog een hap van zijn boterham. Hij vond dat het kauwen hem wakker hield.

'Ik heb vannacht bewijs verzameld.'

'Ben je vannacht naar het kerkhof geweest?' schrok Davy.

'Was niet eens nodig. Ik heb hem gezien in de straat!'

'Wim?'

'Nee, Satan.'

Yannick vertelde hoe hij alles had vastgelegd op video. Nu was Davy's nieuwsgierigheid gewekt en hij stond vol ongeduld te wachten terwijl zijn broer de camera aansloot op de tv in de woonkamer.

Eerst was er nog een stukje van hun vakantie met papa aan zee, maar toen werd het beeld zwart. Daar was de straat, verlicht door grauworanje natriumlicht. En daar was Satan; of liever een donkere schaduw die bij de vuilnisbakken rondhing.

'Nou, waar is ie dan?' vroeg Davy, terwijl hij naar het scherm tuurde.

'Daar', wees Yannick naar de schim op het scherm. Davy kwam wat dichter en fronste zijn wenkbrauwen.

'Het is te donker. Voor hetzelfde geld is dat een gewone straathond. Trouwens, waarom zou een dode hond in het vuilnis snuffelen? Hij hoeft toch niet meer te eten?'

'Ik weet het niet,' antwoordde Yannick, 'maar het is hem. Als je goed kijkt, zie je hier het gat in zijn buik en hij mist een poot.'

Het was allemaal nogal vaag op de beelden en je moest er echt in geloven om het te zien. In ieder geval was de video waardeloos als bewijsmateriaal en Yannick vloekte.

Davy pakte de camera op om de band te stoppen, maar de hand van zijn broer hield hem tegen.

'Wat is dat?'

'Wat is wat?'

'Spoel de band terug!'

Yannick rukte de camera uit de handen van zijn broer en drukte op de terugspoelknop. De beelden liepen achteruit en de vrachtwagen reed achterwaarts het beeld in. Toen drukte hij op pauze zodat het beeld bevroor.

'Zie je hem niet?'

'Al wat ik zie is een waardeloze film, mijnheer Spielberg.'

'Nee, kijk!'

Yannick wees naar de bleekgroene tankwagen, waarvan de bovenkant net onder het raam verscheen.

'Wauw, een vrachtwagen', meesmuilde Davy.

'Een tankwagen. Er stond er zo een achter het kerkhof!'

'Wanneer?'

'De nacht van Wims ongeval. Hanne en ik hadden ons afgezonderd en...'

'Ja?' grijnsde Davy. 'Wat hebben jullie allemaal uitgespookt in het donker?'

'We... niks!' bitste Yannick. 'Maar we hoorden lawaai, een motor. Er stond zo'n tankwagen en hij had dezelfde kleuren!'

'Nou en?'

'Ken jij bedrijven die op zondag om half drie in de ochtend leveren?'

'Het kan toch? Je weet niet wat erin zit.'

'Al wat ik weet is dat er een bos ligt achter het kerkhof en dat ze iets aan het lozen waren.'

Davy keek zijn broer ernstig aan. 'Denk je dat ze chemicaliën hebben geloosd?'

'Nee, stookolie voor mijnheer en mevrouw eekhoorn! Natuurlijk zijn het chemicaliën! Midden in de nacht als iedereen slaapt, geen haan die ernaar kraait!'

'Denk jij... dat Satan...?'

Yannick knikte. Als er inderdaad gif geloosd was achter het kerkhof, dan hoefden ze niet ver te zoeken naar de bron van Satans vergiftiging.

'Kun je lezen wat er op de tank staat?'

Maar het had geen zin. De letters werden afgesneden door de onderkant van het raam.

'Ik denk dat we beter een kijkje kunnen gaan nemen op die plek', stelde Davy voor.

Dat vond Yannick een uitstekend idee.

De jongens reden op hun fietsen door het dorp en maakten een omweg, zodat ze aan de achterzijde van het kerkhof uitkwamen. Waar de grens van het kerkhof ophield, begon het bos en ze reden het modderige paadje op, dat verderop tussen de bomen verdween. De wielen van Davy's fiets kwamen meteen in een stel diepe groeven terecht, die in de modder waren getrokken en hij moest hard remmen om niet onderuit te gaan. Het waren overduidelijk bandensporen van een zware vrachtwagen.

Yannick bracht zijn fiets een meter verder tot stilstand.

'Hoor je dat?'

Davy spitste zijn oren. Het klonk als water. Stromend water. De broers lieten hun fietsen achter en liepen verder. Het was nog steeds behoorlijk koud en een miezerige regen ruiste tussen het gebladerte. De bandensporen stopten abrupt naast een gracht die evenwijdig liep met de haag die het kerkhof begrensde. Het was een afwateringskanaal voor de velden, die tweehonderd meter verderop aan de overkant van de weg lagen. Door de regen van de voorbije dagen stond het water hoog en er groeide riet in en andere waterplanten.

'Shit man!' vloekte Davy en wees naar een dode meeuw, die tussen de rietstengels dobberde. Wat verderop dreven een hele hoop vissen en nog twee dode eenden.

'Je hebt gelijk, Yann. Ze lozen gif!'

Yannick knikte. 'Maar dat verklaart nog niet hoe het in Satans lichaam is terechtgekomen.'

'Het zat in zijn drinkwater. Kijk!' Davy wees naar een bakstenen hutje, dat uit de muur van het kerkhof uitstak. Uit de onderkant van het hutje, verdween een buis in het water.

'Het water uit de kraantjes op het kerkhof wordt uit de gracht opgepompt!'

96

'César heeft er Satans drinkbak mee gevuld!' snapte Yannick.
'En zonder het te weten zijn eigen hond vergiftigd.'
'We moeten naar de politie!' besloot Davy. 'Zij kunnen het water laten onderzoeken.'
Dat vond Yannick een goed idee. Nu hadden ze bewijs!

•

De agente keek verstoord op van haar pc toen ze een vrouw haar keel hoorde schrapen. Maar ze fronste haar wenkbrauwen toen ze geen vrouw zag, maar twee identieke jongens, die met hun kin net boven de rand van haar balie uit staken.
'Wat moeten jullie?'
Yannick zag dat ze de agente hadden gestoord middenin een spelletje computer solitaire. Dat verklaarde waarom ze zo nukkig deed.
'De gracht achter het kerkhof is vergiftigd', zei hij. En met deze woorden dumpte hij een witte plastic zak op de balie. Er sijpelde groezelig water uit en de agente bracht nog net op tijd een stapel foldertjes in veiligheid.
'Wat zit er in die zak?' vroeg ze.
'Bewijs.'
De agente keek erin, trok bleek weg rond haar neus en draaide haar hoofd weg van de stank.
'Gatver! Zijn jullie zeker dat deze... wat is het juist?'
'Het *was* een eend', zei Yannick.
'... dat deze *eend* geen natuurlijke dood is gestorven?'
'Er liggen er nog meer', zei Davy. 'En dode vissen ook. Maar we konden ze natuurlijk niet allemaal meebrengen.'
'Nee, tuurlijk niet', zei de agente met een ongelukkige uitdrukking op haar gezicht.

'Er zijn ook sporen van een vrachtwagen', vertelde Yannick. Hij zei er niet bij dat het een tankwagen was, anders moest hij gaan uitleggen hoe hij dat wist en dan zou hun nachtelijke uitstapje aan het licht komen.

'Ik zal iemand laten komen', zei de agente met een zucht. 'Gaan jullie daar maar zitten.'

Ze pakte de hoorn op en tikte een nummer in. De broers gingen op de plastic stoeltjes zitten, die aan de overkant aan de muur waren vastgemaakt. Het duurde een poosje voordat er iemand kwam. Een grote, magere agent in T-shirt en jeansbroek. Hij had kort lichtbruin haar en zag er best aardig uit. Yannick kreeg nieuwe hoop dat ze hun verhaal aan hem kwijt zouden kunnen. Hij glimlachte zelfs toen hij de jongens zag.

'Jongeheren', lachte hij. 'Ik ben brigadier Desimpel. Komen jullie even mee naar mijn kantoor? Dat praat makkelijker.'

'Vergeet hun *bewijs* niet', zei de agente achter de balie en ze hield de plastic zak met de dode eend omhoog. Brigadier Desimpel liep erheen om de zak aan te nemen, maar plotseling gaf de balieagente een gil. De zak glipte uit haar hand en viel met een bons op de grond. De brigadier wilde hem oprapen, maar deinsde achteruit, want... de zak bewoog! Hij ritselde, kronkelde en kraakte en Yannick en Davy keken al even verbaasd als de andere mensen in de hal van het politiebureau. Eerst kwam de kop van de eend tevoorschijn en vervolgens worstelde de vogel zich kwakend uit het plastic.

'Potverdorie!' riep de brigadier uit. Hij probeerde de eend te pakken, maar ze waggelde er kwakend vandoor. Het halve politiebureau was in rep en roer, terwijl vier agenten probeerden om het dier te vangen. De balieagente zette uiteindelijk de deur open, zodat de eend met fladderende vleugels naar buiten stormde.

Brigadier Desimpel keerde zich opnieuw naar de jongens, maar alle vriendelijkheid was uit zijn gezicht verdwenen.

'Jullie stoppen een levende eend in een plastic zak!?'

'Maar hij was dood!' protesteerde Yannick.

'Dat is dierenmishandeling en daar staan straffen op, dat weten jullie toch?'

'Maar de eend was dood!' zei Davy nu ook.

'Dieren zijn geen speelgoed!' brieste de brigadier. 'Komen jullie maar even mee!'

Yannick wist meteen wat de gevolgen zouden zijn. Hij zou het nummer van papa moeten geven en hij zou als volwassene de schuld krijgen omdat hij zijn twee elfjarige zoontjes alleen had gelaten. Dat hij hen allebei verantwoordelijke kinderen vond die goed voor zichzelf konden zorgen, zou ineens niet meer van belang zijn. Misschien zou papa wel gestraft worden. Met alle macht van de wereld probeerde Yannick een geloofwaardige smoes te verzinnen, maar toen voelde hij hoe zijn broer zijn arm vastpakte en hem door de deur naar buiten trok.

'Hé! Hier blijven!' schreeuwde de brigadier en rende achter hen aan

Gelukkig hadden ze hun fietsen niet op slot gezet en toen brigadier Desimpel naar buiten kwam, fietste de tweeling net met volle vaart de parkeerplaats af.

[13] **De dader**

'Nou, leuk hoor!', zuchtte Yannick toen ze thuiskwamen. 'Hulp van de politie kunnen we nu ook al vergeten. Straks zijn we nog gezochte misdadigers!'

'We hebben niks misdaan!' weerde Davy zich. 'Die agent kan niks tegen ons beginnen. Hij weet niet eens wie we zijn en waar we wonen.'

Hij grijnsde breed en sprong vervolgens een halve meter hoog omdat hij schrok van het geluid van de deurbel.

'Doe jij open?', vroeg hij met trillende stem.

Yannick gaf zijn broer een meewarige blik en liep de hal in. Maar hij klaarde meteen weer op toen hij zag wie er op de drempel stond.

'Hoi Hanne.'

Het was de eerste keer dat ze elkaar terugzagen sinds Yannicks voorstel in de kerk en achteraf was iedereen zo van de kaart geweest dat hij nauwelijks afscheid van haar had kunnen nemen.

'Hai', zei Hanne. 'Ik had al aangebeld en toen zag ik jullie net aankomen en ik...' ze aarzelde even en blikte naar de deurmat. Toen keek ze weer in Yannicks ogen en zei: 'Ik vond het akelig gisteren. Ik heb ervan gedroomd... niet van Wim, maar jou.'

'Je hebt van me gedroomd?' vroeg Yannick en er verscheen een lachje rond zijn mond. Maar Hanne lachte niet.

'Het was geen mooie droom. Ik zat weer in de kerk en het was niet Wim, maar jij die in die kist lag. En niemand wilde hem open maken.'

'Dromen zijn bedrog', zei Yannick. 'Wil je binnenkomen?'

Dat deed Hanne maar wat graag.

Davy keek een beetje zuur toen zijn broer met het meisje de woonkamer binnen kwam.

'Zal ik jullie alleen laten?'

Yannick gaf zijn broer een donkere blik en liet Hanne plaatsnemen op de bank.

'Ik bedoel,' vervolgde ze, 'het is wel leuk dat hij leeft en zo, maar ik weet niet of jullie het ook hebben gemerkt, maar... hij zag er niet meer...'

'... levend uit?' vulde Yannick aan.

Hanne keek hem verbaasd aan. Ze had 'normaal' willen zeggen, maar Yannicks beschrijving was veel beter.

'Maar hij bewoog...'

'Weet je nog dat Satan gestorven is, kort nadat hij Wim had gebeten?' vroeg Yannick.

Hanne knikte en de jongen vertelde haar over de ring, over het verzoek van Wims vader en hoe ze gezien hadden dat de hond daarna terug levend was geworden.

'Het is dus niet zo verwonderlijk dat met Wim hetzelfde gebeurt als met die hond', verduidelijkte Davy, alsof hij het al de hele tijd had geweten.

'Maar hoe komt dat dan?' vroeg Hanne.

'Gif.'

'Gif?'

'Weet je nog, toen we op het kerkhof waren?' vroeg Yannick. 'We hebben toen een vrachtwagen gezien aan de achterkant bij de haag.'

Hannes ogen werden groter.

'Denk je dat ze gif aan het lozen waren? Maar hoe weten jullie dat?'

'Omdat het grachtje achter het kerkhof vol dode dieren ligt.'

'Die ook weer levend worden', voegde Davy eraan toe. 'Net als Satan en Wim.'

Yannick vertelde over het voorval met de dode eend op het politiebureau.

Hanne luisterde met open mond. In andere omstandigheden zou ze waarschijnlijk gedacht hebben dat de tweeling een geintje met haar uithaalde. Dat deden de jongens op school zo vaak. Maar Yannick en Davy vertelden alles zo ernstig en vol overtuiging, dat ze niet anders kon dan hen geloven. Bovendien klopte alles als een bus en dat was nog het akeligste.

'We moeten weten waar die vrachtwagen vandaan komt', zei ze toen Yannick alles had verteld.

'Yannick heeft hem op video,' zei Davy, 'maar je kunt er niks op zien.'

Yannick startte de videocamera en liet het bandje nog eens lopen. Davy probeerde het contrast en de helderheid van het tv-toestel wat bij te regelen, maar het beeld werd er alleen maar onduidelijker van.

'Wacht es!' zei Hanne toen de vrachtwagen in het beeld net voorbijreed. 'Spoel eens terug?'

Yannick spoelde het beeld achteruit, tot de bovenzijde van de vrachtwagen weer in beeld kwam en drukte op de pauzeknop.

Hanne kwam dichter en tuurde naar het scherm.

'Spoel een paar beeldjes vooruit.'

Yannick liet de film beeld voor beeld vooruitgaan tot Hanne 'Stop!' riep.

'Kijk', zei ze en wees naar het etalageraam van de kledingzaak aan de overkant van de straat. Je kon de etalagepoppen duidelijk zien, maar als je heel goed keek, zag je het portier van de vrachtwagen in het glas weerspiegeld:

.V.B NIXOTOIB

'Biotoxin B.V.!' riep Yannick, die het spiegelschrift al had ontcijferd.
Het adres dat ook op het portier stond, was te klein om te lezen, maar de naam was genoeg.
Een zoektocht op het internet leverde meteen het webadres van het bedrijf op en Yannick, Davy en Hanne keken gespannen toe terwijl de pagina op het scherm verscheen. Het zag er allemaal heel keurig en netjes uit, met dezelfde vaalgroene kleuren als de vrachtwagen. Yannick klikte door naar een pagina met meer informatie over *Biotoxin BV*.

Biotoxin werd opgericht in 1997 en kan de pionier genoemd worden op het vlak van biologische bestrijding. Ons wetenschappelijk team werkt in onze laboratoria voortdurend aan het verbeteren en optimaliseren van onze producten en het ontwikkelen van nieuwe, milieuvriendelijke bestrijdingsmiddelen op basis van natuurlijke toxines.

'Wat zijn toxines?' vroeg Davy. Yannick haalde er een woordenboek bij en vond dat een toxine een biologische gifstof was, die werd afgescheiden door dieren, planten en bacteriën.

De producten van Biotoxin werken rechtstreeks in op het zenuwstelsel van insecten en kleine zoogdieren, waardoor ze pijnloos worden geneutraliseerd. Het product wordt vervolgens volledig door het lichaam geabsorbeerd, waardoor er geen residu's achterblijven in het milieu. Biotoxin pesticiden zijn onschadelijk voor de mens en voor grotere zoogdieren, zoals honden en katten. Hierdoor is Biotoxin de beste keuze voor biologische land- en tuinbouw, maar ook voor uw groentetuin of bloemperk.

Er stonden nog wat foto's bij van de buitenkant van het bedrijf en er was een formuliertje waarmee je meer informatie kon aanvragen. Het was een website die louter als uithangbord van het bedrijf dienst deed. Als je bestrijdingsmiddelen echt zo revolutionair waren, dan kon je maar beter niet teveel informatie prijsgeven. De concurrentie surft immers ook op het internet.

'Ik denk niet dat hun bestrijdingsmiddelen zo onschadelijk zijn als ze beweren', zei Davy.

'Maar ze bestaan al zo lang', wees Hanne uit. 'Als hun bestrijdingsmiddelen schadelijk zijn, dan hadden ze toch allang gesloten moeten zijn?'

'Ja', zei Yannick, 'En het is ook niet logisch dat ze hele tankwagens van hun dure spul zomaar weggieten.'

'Tenzij er iets mis mee is', bedacht Hanne.

'Wat bedoel je?'

'Stel dat er in de fabriek iets verkeerd is gelopen, een verkeerde formule of een te hoge dosis, of zo, waardoor er een heel gevaarlijk gif is ontstaan. Dat kun je niet verkopen. Ze zitten misschien wel opgescheept met honderdduizenden liters van dat foute spul. Het vernietigen kost handenvol geld en dus...'

'Dumpen ze het 's nachts in de gracht', zuchtte Yannick.

'Het zijn moordenaars!' riep Davy uit.

'Ze weten het vast niet eens', zei Yannick. 'Die gracht voert toch alleen maar water af van de velden, moeten ze gedacht hebben. Dat verdwijnt toch in het riool en komt dan uiteindelijk in zee terecht, waar het zodanig verdund wordt dat het niet meer schadelijk is. Ze wisten vast niet dat de kraantjes van het kerkhof erop aangesloten zijn.'

'Het klopt in ieder geval als een bus', zei Davy. 'En het verklaart een heleboel'.

Hanne keek ontzet naar het salontafeltje, alsof dat ook ieder moment tot leven kon komen. 'Dat betekent dus dat Wim...'

Yannick knikte. 'Hier staat dat het toxine op het zenuwstelsel en de hersenen inwerkt van kleine dieren. Misschien werkt het foute gif ook op mensen.'

'En brengt het de doden daarna weer tot leven!' voegde Davy eraan toe.

'Ik geloof dat ik misselijk word', kreunde Hanne. 'We moeten er de politie bij halen.'

'No way!' riep Davy uit.

'Niet na wat er daarstraks is gebeurd', zei Yannick.

Hanne kneep in zijn hand.

'Ik ben bang', fluisterde ze in zijn oor.

Ze was niet de enige.

[14] Bloedbad in de klas

Het nieuws over Wim schoof steeds verder naar voren in de krant. Nu was het een artikel van een kwart bladzijde op de tweede pagina, met een grote kleurenfoto van de opengebroken doodskist en Wims schoolportret. Het leek wel alsof iedereen nu een krant had gekocht en overal op het schoolplein zag je kinderen verborgen achter grote lappen papier. In het artikel werd gesteld dat de dokter in het ziekenhuis een fout had gemaakt, waardoor Wim ten onrechte dood was verklaard. De journalist had zelfs dokter Waremme opgespoord, maar ze weigerde commentaar te geven. Wat zou je zelf doen!

'Als je het over de duivel hebt', zei Davy, toen hij opkeek. Er was commotie ontstaan bij de schoolpoort, waar net de BMW van Marcel Depoorter was gestopt. Mijnheer Depoorter opende de deur aan de passagierskant en hielp Wim uit te stappen. Het ging behoorlijk moeizaam en hij zag er nog afstotelijker uit dan twee dagen geleden. Hij was bijna dubbel zo dik als vroeger en zijn gezicht was helemaal opgezwollen, waardoor zijn grauwe ogen vervaarlijk uitpuilden. Op een of andere manier moest Yannick denken aan dat dikke witte mannetje dat reclame maakte voor *Michelin* autobanden. Wims huid zag niet meer zo bleek als zaterdag, maar had een grauwgroene schijn gekregen. Yannick gruwde toen hij mijnheer Depoorter zijn zoon een kus zag geven. Toen stapte de man weer in zijn auto en reed weg. Wim bleef bij de poort staan, terwijl hij wezenloos voor zich uit staarde. Uit zijn mondhoek sijpelde een straaltje gelig spuug.

Thomas liep op hem af en stootte hem aan, maar Wim reageerde amper op zijn beste makker. Yannick wilde er ook heen gaan, maar Hanne trok hem aan zijn mouw.

'Niet doen, Yannick!'

Toen de bel ging en de kinderen in de rij gingen staan, moest juf Katrien Wim bij de hand nemen en hem naar de rij brengen als een kleuter van drie die voor het eerst naar school ging. Toen hij voorbijkwam, gingen de kinderen uit de weg, want hij verspreidde de ontzettende stank van rottend vlees, die je maag deed omkeren. Juf Katrien leek het niet eens te merken, of deed tenminste alsof.

In de klas leek Wim zich toch iets te herinneren, want hij schuifelde als een oud ventje naar zijn plaats. Daar liet hij een ronkende wind ontsnappen, die zo verschrikkelijk stonk, dat de juf alle ramen moest openzetten.

Yannick herinnerde zich opnieuw de uitzending op National Geographic. Een lijk wordt verteerd door zijn eigen spijsverteringssappen, die eerst de maag verteren en daarna de rest van de ingewanden. Dat veroorzaakt stinkende gassen die het lichaam doen opzwellen. Eén ding was zeker: iemand die schijndood is geweest, ziet er niet uit als een lijk van een week oud.

De kinderen die in zijn buurt zaten, ook Yannick en Davy, schoven hun bank zo ver mogelijk bij hem vandaan, hoewel het op z'n best maar een halve meter was. Iedereen in de klas zat met een zakdoek of een kledingstuk voor zijn of haar neus tegen de stank.

Juf Katrien begon met de les, maar Wim zat alleen maar rochelende geluiden te maken. Af en toe drupte er wat gele saus uit zijn mond of zijn neus op zijn schrift. Yannick zag het gezicht van juf Katrien vertrekken in een ingehouden grimas. Ze moest zichzelf vast ontzettend geweld aandoen om niet met een emmer en een spons naar hem toe te rennen. Tja, een ontbindend lijk in de klas was nu niet bepaald een droom van de door netheid geobsedeerde juf Katrien.

Thomas, die naast Wim zat, deed tevergeefs verwoede pogingen om zijn makker bij de les te houden. Maar hij kon evengoed proberen om een chimpansee zijn naam te laten schrijven.

Toen Thomas Wims hand vastpakte om hem te helpen een parallellogram te tekenen, klonk er plotseling een kreet van pijn. De hele klas keek om. Thomas strompelde achteruit, viel over zijn stoel en landde met een smak op de vloer. Donkerrode druppels spetterden op de tegels. Er zat bloed op zijn kleren en hij omklemde zijn hand met wijd open ogen van de schok. Wim zat idioot voor zich uit te grijnzen, alsof er niets was gebeurd. Er kleefde iets roods om zijn mond, alsof hij net een hamburger met veel ketchup had gegeten... en hij was nog steeds aan het kauwen! Yannick trok een grimas, want het was wel degelijk een stuk vlees waarop Wim aan het kauwen was.

Juf Katrien kwam Thomas te hulp en bekeek de wond. Er miste een groot stuk uit Thomas' rechterhand. Een stuk dat nu ongetwijfeld onderweg was door wat was overgebleven van Wims slokdarm. De juf keek hem ontzet aan, alsof ze zich nu pas realiseerde dat Wim niet meer de jongen was die hij altijd was geweest.

Er verscheen een hongerige blik op Wims gezicht.

'Og!' kreunde hij. 'Og!' Hij stond op en strompelde op Thomas af.

'Wim nee!' probeerde juf Katrien nog en ze deed haar best om de jongen tegen te houden, maar hij had bovenmenselijke kracht en duwde haar hard opzij.

'Og!'

Thomas krabbelde angstig overeind, maar Wim stortte zich op hem en probeerde hem opnieuw te bijten. Wanhopig probeerde de jongen Wims tanden af te weren. De juf deed verwoede pogingen om de jongens te scheiden, maar dat lukte pas toen ze de hulp kreeg van Renco en Christof, de twee sterkste jongens van de klas. Maar Wim rukte zich opnieuw los en probeerde nu ook hen te bijten. Yannick, Davy en Karel kwamen te hulp en met z'n vijven slaagden ze erin om de bijtende en schreeuwende Wim op de grond te krijgen. Yannick had een rol stevige verpakkingstape in de lade van de juf gevonden en terwijl hij er Wims mond mee dichtplakte, bedacht hij dat hij evengoed ook Wims neus zou kunnen afplakken. Wim was dood en ademde niet meer. Het afsluiten van zijn luchtwegen zou hem niet *doder* maken. Zijn hersenen moesten uitgeschakeld worden. Een paar rake slagen met een honkbalknuppel of met een flinke steen... Hij zou er arme Wim een plezier mee doen, maar hij was niet eens zeker of hij het wel zou kunnen. Christof had Wims handen ondertussen aan elkaar gebonden met het snoer van de diaprojector, zodat de bijtgrage zombiejongen niet meer kon bewegen.

Juf Katrien, die haar arm beschermend om Thomas heen geslagen had, zag net zo bleek als Wim zelf, maar minder groen. Haar bloemetjesjurk zat ook al onder het bloed en ontzet staarde ze naar het wriemelende en spartelende *ding*, dat onder de plastic tape steeds maar 'Og! Og!' bleef roepen.

Het was Hanne die een ambulance belde. Voor Thomas,

want voor Wim wist ze niet zeker wat ze moest doen. Toen ze alles had uitgelegd aan de noodcentrale, stuurden die toch twee ziekenwagens.

Maar nog voordat de sirenes klonken in de verte, was Thomas al in elkaar gezakt in de armen van juf Katrien. Hij ademde niet meer en zijn ogen staarden levenloos naar het plafond. Juf Katrien had een cursus eerstehulp gevolgd en terwijl ze de jongen probeerde te reanimeren, bracht de directrice de andere kinderen naar de kantine.

Maar alle hulp kwam te laat. Thomas was dood en Wim had het allang moeten zijn.

Het nieuws sloeg in als een bom en een aantal kinderen begon zachtjes te huilen. Maar voor Yannick en Davy en ook voor Hanne was het helemaal geen verrassing.

De kinderen kregen allemaal een envelop voor hun ouders mee naar huis. Davy had zijn envelop meteen opengescheurd en las de brief die erin zat. De directrice had besloten om het hele voorval af te doen als een plotselinge uitbraak van hersenvliesontsteking en de ouders moesten hun kinderen de komende week thuis houden en als ze koorts of hoofdpijn kregen, moesten ze er meteen mee naar de dokter gaan. Een week extra paasvakantie! Jammer dat er iemand voor had moeten sterven.

Hannes ouders werkten en omdat wat er in de klas was gebeurd zo'n indruk op haar had gemaakt, had Yannick voorgesteld dat ze met hen mee naar huis zou gaan. Zo hoefde ze niet de rest van de dag alleen te zijn met haar gedachten. Hanne vond dat zo ontzettend lief van hem dat ze hem prompt een zoen gaf op zijn wang. Nu had Yannick er liever eentje op zijn lippen gehad, maar het was toch al een begin.

De gebeurtenissen in het gemeenteschooltje haalden zelfs

het nieuws op de radio. Er werd gesproken van een epidemie van hersenvliesontsteking die één en misschien zelfs twee kinderen het leven had gekost. Het zou morgen ook vast wel weer in de krant staan. Wim was een 'hot newsitem' geworden.

Dit was een van de momenten waarop Yannick zijn vader miste. Het huis was zo leeg zonder hem en hij miste de geruststellende woorden waaraan hij zich kon vastklampen. Het was iets wat Hanne ook miste, want ze zat met opgetrokken knieën op de bank en staarde naar de krant op het salontafeltje. Ze was bang, dat zag je zo. Yannick pakte haar hand vast en zei: 'Het komt wel goed. Wim loopt nu niet meer vrij rond.'

'Misschien is het toch wel hersenvliesontsteking', bedacht Davy. 'Wim kan het al gehad hebben voordat hij gebeten werd door Satan.'

'Aan hersenvliesontsteking ga je dood, daar word je niet opnieuw levend van', vond Yannick. 'En het verklaart ook de dood van Satan niet en van de dieren in de gracht.'

Hanne keek haar vriendje aan. Haar ogen waren nat en ze rilde een beetje.

'Ik snap het niet, Yannick. Het ging te snel.'

'Wat ging te snel?'

'Thomas. Hij is al na twintig minuten doodgegaan, terwijl het bij Wim en Satan zo lang heeft geduurd.'

Daar hadden Yannick en Davy nog niet bij stilgestaan, maar als je even nadacht, was het te verklaren.

'Satan heeft het gif via zijn maag binnengekregen', bedacht Yannick. 'Dan duurt het veel langer eer het in zijn bloed terecht komt. Dat is ook de reden waarom de dokter je eerder een injectie zal geven in plaats van een pilletje. Dat werkt sneller.'

'Maar Wim heeft het gif wél rechtstreeks in zijn bloed gekregen', wees Hanne uit, 'en het heeft dagen geduurd voordat hij stierf!'

'Zijn vet zal het gif hebben vertraagd...', grijnsde Davy, maar hij zag ook meteen in dat zijn grap allesbehalve smaakvol was.

'Ik vind dat we toch naar de politie moeten gaan', zei Hanne. 'We hebben nu genoeg bewijzen.'

Nee, niet de politie', zei Yannick. 'Dokter Waremme weet wat er in Wims bloed zat en dat hij geen hersenvliesontsteking had. Als we haar alles vertellen, zal ze ons wel moeten geloven en ik denk niet dat haar medisch geheim nog telt als er mensen doodgaan.'

Toen de drie kinderen bij het ziekenhuis aankwamen, stond de politie er al. Twee busjes en drie patrouillewagens. Twee politieagenten stapten net in hun auto en reden weg, maar ze moesten slalommen langs de auto's en vrachtwagens van wel vijf televisiestations.

In de hal van het ziekenhuis hadden een stuk of twintig perslui dokter Waremme in het nauw gedreven en haar evenveel microfoons en drie camera's onder de neus gedrukt. De kinderen bleven op afstand staan, maar wel net zo dichtbij dat ze konden horen wat er gezegd werd.

'Ik kan u echt niets meer vertellen', zei dokter Waremme. Ze had helemaal niets meer van de kalme, berekende dame die de jongens vorige week hadden ontmoet. Haar paardenstaart was losgeraakt en slierten donker haar plakten door het zweet tegen haar voorhoofd. Haar grote bril zat scheef op haar neus. Ze hield een bundel dossiers tegen haar borst geklemd als een schild en baande zich een weg langs de pers. Maar de hele meute liep haar achterna.

'Maar u hebt zelf een van de slachtoffers behandeld', riep een journalist. 'Hoe komt het dat hij dan toch opduikt op school en een kind besmet, dat even later sterft? Is het uw taak niet om te bepalen of een patiënt genezen is of niet?'

De dokter werd opnieuw omsingeld en moest wel blijven staan.

'Is het niet zo dat u een van de slachtoffertjes vorige week nog dood hebt verklaard, hoewel dat niet zo was?' vroeg een journaliste.

'Hij was klinisch dood', weerde dokter Waremme zich. 'Ik heb alle bewijzen daarvoor.'

'Beweert u dat de jongen uit de dood is opgestaan en vervolgens hersenvliesontsteking heeft opgelopen?'

Er klonk een geamuseerd gegniffel onder de journalisten, maar dokter Waremme bleef ernstig.

'Wim was inderdaad mijn patiënt', zei ze. 'Hij was opgenomen nadat hij gebeten was door een hond. Maar er waren complicaties en hij is inderdaad klinisch dood verklaard. Meer heb ik niet te zeggen. En als u me nu wilt excuseren, ik heb nog meer patiënten.'

Ze duwde twee journalisten ruw uit de weg en verdween in de deur naar het trappenhuis. Yannick, Davy en Hanne namen de lift, naar de verdieping waar ze werkte en stonden de dokter op te wachten toen ze uit de deur kwam.

Dokter Waremme schrok natuurlijk toen ze de kinderen zag. De tweeling herkende ze meteen.

'Wat moeten jullie weer? Ik heb werk!'

'Ja, maar wij hebben informatie', zei Yannick.

'Over Wim Depoorter', voegde Davy eraan toe.

'Ik heb nu geen tijd', beet de dokter hen toe en beende de gang in.

Maar de kinderen haalden haar in en brachten haar tot staan.

'Willen jullie dat ik de bewaking roep?' dreigde ze.

Maar Yannick liet zich niet afschepen.

'Misschien zijn de mensen van de tv beneden wel geïnteresseerd om te weten dat het geen hersenvliesontsteking is, waaraan Wim en Thomas gestorven zijn.', zei hij.

De dokter verstijfde.

'U weet dat er iets in zijn bloed zat, dat er niet thuishoorde. Er zijn twee kinderen dood, waarvan er eentje nog rondloopt.'

Dokter Waremme keek de drie kinderen aan en zuchtte toen.

'Goed. Kom even mee naar mijn werkkamer.'

Ze volgden de dokter naar een kamer met grote ramen naar de gang toe. Dit was de koffiekamer van de verpleegsters. De werkkamer van de dokter was er vlak naast; een klein kantoortje zonder ramen. Op de tafel stond een pc en tegen de muur een grote dossierkast.

Op uitnodiging van de dokter gingen Davy en Hanne zitten op de twee stoelen. Yannick bleef rechtstaan. De dokter sloot de deur en ging toen in haar stoel tegenover de kinderen zitten.

'Jullie moeten me eerst beloven dat wat er tussen deze vier muren wordt gezegd tussen ons blijft.'

'Niemand luistert naar kinderen', zei Yannick. 'Daarom komen we juist naar u.'

De dokter knikte.

'Om te beginnen is er slechts één ambulance aangekomen', zei ze. 'De wagen die het lichaam van Thomas vervoerde. De andere, waarin Wim lag, is niet meer te bereiken met de radio. Daarom loopt hier zoveel politie rond. De pers weet het nog niet; ze zijn nog volop begaan met die zogenaamde uitbraak van hersenvliesontsteking en dat moet nog even zo blijven.'

Ze pauzeerde en keek naar de dossiers die ze op haar bureau had gedumpt. Wims dossier was er een van en ze sloeg het open.

'Zodra Wim werd binnengebracht, heeft het lab zijn bloed onderzocht', ging dokter Waremme verder. 'Ze hebben sporen van een toxine gevonden, dat geproduceerd wordt door een zeer zeldzame paddenstoel die in het amazonewoud voorkomt. Ik zeg wel *sporen*, want het toxine was genetisch bewerkt. We hebben het getest op muizen en het tast vrijwel onmiddellijk het zenuwstelsel aan, waardoor ze sterven. Maar het merkwaardige was dat ze na een paar uur weer rondliepen in hun kooi, alsof er niets was gebeurd. We hebben ontdekt dat dit genetisch gewijzigde toxine na de dood de hersenschors blijft prikkelen, waardoor...' ze keek de kinderen nadenkend aan, niet zeker of ze wel door zou gaan.

'Waardoor de dode muizen weer tot leven komen', vulde Yannick aan. 'We weten het. Het toxine komt van Biotoxin, een bedrijf dat pesticiden maakt. Ze hebben het in de gracht achter het kerkhof gedumpt en daar kwam het drinkwater uit van de hond die Wim heeft gebeten.'

Dokter Waremme keek de jongen met grote ogen aan.

'Waar hebben jullie die informatie vandaan?'

'Speurwerk', zei Davy trots.

''s Nachts staan er vaak vrachtwagens van Biotoxin achter het kerkhof. Het lag er vol dode vogels, maar toen we een eend als bewijs hadden meegenomen naar de politie, begon die ineens weer te bewegen.'

'En de hond, die Wim heeft gebeten, loopt ook nog altijd rond', voegde Davy eraan toe. 'Met zijn buik open en zijn darmen eruit.'

'O mijn god', bracht dokter Waremme ontzet uit. 'Het is ernstiger dan ik dacht.'

'We denken ook dat het gif steeds sneller begint te werken', vertelde Yannick. 'Thomas was al na twintig minuten dood terwijl Wim het dagen heeft volgehouden.'

'Nee, het gif werkt niet sneller', zei de dokter, die met haar stomverbaasde blik zelf een beetje op een zombie leek. 'Zoals jullie misschien wel weten, beschermt ons bloed ons lichaam tegen vreemde stoffen, zoals virussen en bacteriën. Wim had heel veel bloed verloren en hij heeft donorbloed gekregen. Dat nieuwe, onaangetaste bloed heeft het toxine meteen aangevallen, waardoor het langzamer werkte. We hebben trouwens ook ontdekt dat het toxine 'inslaapt' in temperaturen rond het vriespunt. Veel hebben we daar niet aan, want het wordt er niet door vernietigd. In ieder geval heb ik genoeg gehoord. Ik ga een collega bellen om even voor mij in te springen en dan gaan we naar de politie.'

'Wij hoeven toch niet mee?' schrok Davy.

'Natuurlijk moeten jullie mee. Jullie zijn getuigen. Jullie ouders weten toch dat jullie hier zijn?'

De kinderen knikten alle drie, hoewel geen van hun ouders enig idee hadden waar ze uithingen.

[15] Een gruwelijke ontdekking

Dokter Waremme reed in een blitse Jaguar met leren stoelen en een met hout afgewerkt interieur. Ze trapte de auto flink op zijn staart en in een paar minuten scheurde ze de parkeerplaats van het politiebureau op.

Ook hier was het een drukte van jewelste. Tientallen agenten liepen heen en weer en buiten werd allerlei materiaal in de auto's geladen.

Dokter Waremme liep met wapperende doktersjas en Wims dossier onder de arm op de balie af. De balieagente herkende haar, of misschien las ze de naam op het naamplaatje. Er werd heen en weer gepraat, maar de kinderen, die wat verder stonden, konden er niets van verstaan met al het kabaal en de glazen schuifdeuren die voortdurend open en dicht gingen.

Uiteindelijk nam de balieagente de telefoon op en dokter Waremme liep naar de kinderen.

'Ze hebben de ambulance gevonden. De twee ziekenbroeders zijn dood.'

'En Wim?' vroeg Hanne.

'Kijk eens aan wie we daar hebben!'

Davy kromp in elkaar toen brigadier Desimpel op hen af kwam lopen, maar dokter Waremme klampte de brigadier aan voordat hij de jongens bij de lurven kon pakken.

Even later zaten ze met z'n vieren in het kantoor, dat de brigadier met een team andere agenten deelde.

'En u beweert dat het allemaal komt door gif dat in de gracht is gedumpt?' vroeg hij toen dokter Waremme alles had uitgelegd. Hij bladerde door het dossier dat de dokter hem had gegeven, maar Yannick zag aan zijn uitdrukking dat hij er niet al te veel van snapte.

'Ik zal u de medische termen besparen,' zei de dokter, 'maar het komt erop neer dat het gif het slachtoffer niet alleen binnen de twintig minuten doodt, maar hem enkele uren later opnieuw...' ze zocht even naar de juiste term, '...animeert.'

Brigadier Desimpel keek op. 'Animeert? Zoals in de tekenfilms?'

'*Leven* is hier niet het juiste woord. Het toxine stimuleert de hersenschors, waardoor het lichaam, tja,... weer gaat rondlopen.'

'Zoals een zombie?' Er was een meewarig lachje rond de mondhoeken van de brigadier verschenen.

'U hebt toch die eend gezien die we hadden meegebracht?' vroeg Yannick. Hij had met Davy en Hanne in stilte zitten luisteren, want de dokter kon het allemaal veel beter uitleggen, maar nu hij merkte dat ze het pleit aan het verliezen was, vond hij dat hij zich in het gesprek moest mengen. 'De eend was hartstikke dood, maar hier in het politiebureau is ze weer... geanimeerd!'

'Een *geanimeerde eend*', lachte Desimpel. 'Jullie moeten niet bij de politie zijn, jullie moeten bij Disney aankloppen!'

'Ik weet dat het moeilijk te geloven is,' nam dokter Waremme opnieuw het woord, 'maar het gaat hier om een genetisch bewerkt toxine, dat zich heel anders gedraagt dan de ons bekende toxines. Dit is een gif dat ontworpen is door de mens!'

'En die andere jongen dan? Die aan hersenvliesontsteking is gestorven?'

'Dat was geen hersenvliesontsteking', riep Hanne uit. 'Wim heeft hem gebeten in de klas!'

De dokter knikte. 'De toxines zijn via Wims speeksel in de bloedbaan van Thomas terechtgekomen. Het is uiterst besmettelijk. Uw mannen moeten schieten om te doden. Het liefst door het hoofd, zodat de hersenen worden uitgeschakeld.'

'Zeg, wacht eens even!' riep Desimpel uit en hij sloeg het dossier dicht. 'U vraagt mij om het vuur te openen op een ongewapend kind!'

'Wim is geen kind meer, hij is een wandelende massa rottend vlees en botten, gestuurd door primitieve impulsen uit het brein. Bovendien is hij agressief. Als hij nog meer mensen bijt, kan dit makkelijk uit de hand lopen en hebt u een zeer gevaarlijke epidemie aan uw laars!'

De brigadier staarde met gevouwen handen naar het dossier voor zijn neus, zodat het even leek alsof hij goddelijke hulp inriep.

'En als dat gebeurt,' vervolgde dokter Waremme, 'zal de pers u aan de schandpaal nagelen.'

Brigadier Desimpel zei niets, maar keek de dokter alleen maar peinzend aan. Yannick wist dat de agent nu in een tweestrijd verkeerde. Het verhaal was niet echt wat je geloofwaardig kon noemen, maar de bewijzen waren onweerlegbaar, zeker als ze uit de mond van de dokter kwamen.

Net toen Yannick dacht dat de stilte in het kantoortje voor eeuwig zou duren, haalde de brigadier zijn handen uit elkaar en zei: 'Goed. Ik zal ervoor zorgen dat het nodige wordt gedaan.'

'Denk erom,' voegde dokter Waremme eraan toe. 'We mogen geen medelijden hebben. Wim is geen mens meer.'

'Dat denk je ook niet meteen als je hem ziet', bedacht Yannick.

Terug in de auto pakte de dokter haar mobieltje en belde het ziekenhuis op. Ze gaf het bevel om de lichamen van Thomas en de twee ziekenbroeders meteen te verbranden.

'Ik ga een bezoekje brengen aan Biotoxin', zei dokter Waremme. 'Jullie hebben er goed aan gedaan door naar mij te komen, maar nu is het aan de volwassenen. Jullie gaan nu meteen naar huis en komen niet meer buiten, begrepen?'

Hanne en de jongens knikten en keken toe hoe de Jaguar de parkeerplaats af scheurde.

'Een heet konijn in een gave kar', grijnsde Davy en kreeg prompt een stomp van zijn broer en een van Hanne.

Het politiekantoor lag achter het gemeentehuis en het was een flink eind lopen naar huis. Ze moesten zich haasten, want het liep al tegen vieren en de vader van Yannick en Davy had net een berichtje gestuurd dat hij met de Eurostar uit Londen was vertrokken.

'Ik hoop dat ze Wim snel vinden', zei Hanne terwijl ze naast elkaar door de straat liepen. 'Stel dat hij twee mensen bijt en die twee mensen bijten elk nog eens twee mensen, dan...'

'Dat is wat dokter Waremme zei', wees Yannick uit. 'Dan krijgen we een invasie van levende doden...'

'Wacht es', riep Davy uit. Hij stopte zo bruusk dat Yannick en Hanne hem voorbijliepen. Ze draaiden zich om en keken naar Yannicks broer, die een uitdrukking op zijn gezicht had, die Newton waarschijnlijk ook had gehad op het moment dat hij de zwaartekracht ontdekte.

'Weet je nog hoe Wim meteen naar zijn plaats ging in de klas?'

Hanne en Yannick knikten.

'En Satan snuffelde in het vuilnis', vertelde Yannick, 'hoewel hij niet meer kon eten. Ze herinneren zich nog bepaalde dingen, maar ik weet niet hoe...'

'Als Wim zijn herinneringen volgt, dan zal hij naar huis gaan!'
'Shit man!' vloekte Yannick en niet in het minst omdat zijn broer zomaar slimmer was gebleken dan een hele roedel politieagenten.

De kinderen zetten het op een lopen naar *Brood en banket Depoorter*. Toen ze hijgend en puffend bij de winkel aankwamen, kwam er net een oud vrouwtje naar buiten. Ze keek knorrig naar de tweelingbroers en het meisje.

'Spaar jullie de moeite', zei ze. 'Ik sta hier al een kwartier te wachten. Maar er komt maar niemand...'

Dat was een slecht teken. Hanne en de jongens wachtten tot het dametje uit het gezicht was verdwenen en gingen toen zelf naar binnen. Er ging een elektronische bel, maar er kwam niemand achter de toonbank staan. Het was akelig stil in de bakkerij. Je kon zo de kassa leegroven of op z'n minst met je zakken vol snoep aan de haal gaan.

'Er is iets mis', wist Yannick. 'Hanne, jij belt de politie. Davy en ik gaan binnen een kijkje nemen.'

'Moet dat echt?' vroeg Davy.

'Maar wat als hij daar is?' vroeg Hanne.

Davy knikte beamend. 'Ja, wat als hij daar is?'

'We kunnen nog altijd hard wegrennen', zei Yannick. 'Wim is nooit van de snelste geweest en nu zeker niet.' Maar zijn glimlach was niet echt overtuigend.

Er waren twee deuren achter de toonbank. De ene gaf toegang tot de woning, de andere was de doorgang naar de bakkerij, die in de kelder was gevestigd. De deur naar de woonruimte stond open, wat op zich al ongewoon was, en Yannick waagde zich voorzichtig naar binnen.

Hanne schudde geërgerd het hoofd en belde het nummer 101 met haar mobieltje.

De deur gaf toegang tot de hal. De woonkamer was leeg.

Logisch, want als het vrouwtje een kwartier had staan roepen, dan was er ook niemand die het kon horen.

Yannick vond Wims kamer en duwde behoedzaam de deur open. Het leek meer op het hol van een dier en het stonk er zo verschrikkelijk dat hij zijn middageten naar boven voelde komen. Hij sloeg de deur snel dicht en rende naar de badkamer, maar botste onderweg tegen Davy aan, die al even bleek zag.

'Ga niet... naar de... ba... naar de badkamer', stamelde hij.

Yannick was zo geschrokken van zijn broer dat zijn braakneigingen waren verdwenen.

'Waarom niet? Wat is er? Is Wim daar?'

Hij keek langs de schouder van zijn broer naar binnen en zag rode vegen en druppels op de tegels kleven. Davy sloot de deur met zijn voet en schudde zijn hoofd.

'Het is... mevrouw Dep...' Hij duwde zijn broer hard opzij en gaf over op het vasttapijt.

Yannick voelde de nieuwsgierigheid branden. Zijn hand ging naar de klink van de badkamerdeur, tot hij het koude staal voelde onder zijn vingers. Toen trok hij terug. Het was duidelijk dat mevrouw Depoorter dood was en als de manier waarop ze was gestorven zijn broer zo van streek maakte, dan was het misschien maar beter dat hij het niet zag.

'Ik heb het jullie toch gezegd!' Hanne stond bij de deur naar de winkel. De angst stond op haar gezicht te lezen en ze was het huilen nabij. 'Kom naar buiten voordat hij jullie vindt!'

Davy zag nog steeds asgrauw toen ze in de winkelruimte kwamen. Hij steunde tegen de toonbank. Zijn ogen keken star voor zich uit alsof hij een spook had gezien, maar wat hij had gezien was nog veel erger.

'Alles oké, Davy?'

'Hij is niet oké,' zei Hanne, 'dat zie je toch? Jullie hadden nooit naar binnen mogen gaan!'

'Wat zei de politie?' vroeg Yannick.

'Ze zouden een auto sturen, maar het kon wel even duren.'
Ironisch genoeg was het halve politiekorps op zoek naar
Wim, waardoor ze geen manschappen konden sturen naar
de plek waar hij echt was.

'Was het alleen mevrouw Depoorter in de badkamer?' vroeg
Yannick aan zijn broer.

Davy keek hem misselijk aan en knikte.

Yannicks blik viel op de andere deur achter de toonbank. Als
Wim niet in het woonhuis was, dan was hij misschien in de
bakkerij. Misschien had mijnheer Depoorter zich wel ver-
schanst en had hij dringend hulp nodig!

'Wat ga je doen?' riep Hanne toen haar vriendje achter de
toonbank langs liep.

'Ga met Davy buiten op de politie wachten!' antwoordde de
jongen. 'Ik ben zo terug.'

'Niet doen!' smeekte Hanne. Het klonk hartverscheurend
en Yannick overwoog, heel even maar, om toch naar haar
te luisteren. Maar toen duwde hij de deur naar de bakkerij
open en hoorde nog net hoe Hanne haar koppige vriendje
vervloekte.

Achter de deur was een kleine gang met een stenen wen-
teltrap en een goederenlift. Aan de muur hing een antiek
wafelijzer als versiering. Het bestond uit een zware gietijzeren vorm in twee helften, die met een scharnier aan elkaar
vastzaten. Aan de vorm zat een lange ijzeren staak om het
ijzer mee in de oven te schuiven. Yannick tilde het ding van
het haakje en moest het bijna weer laten vallen omdat het zo
zwaar was. Het was geen handig wapen, maar het was beter
dan niets. Met het wafelijzer sloop de jongen voorzichtig de
trap af. De bakkerij beneden was groot en de tl-lampen aan
het plafond hulden de hele ruimte in een koud licht, dat van

de witte tegels op de wanden en de vloer afstraalde. Er stonden verschillende machines om deeg te kneden en te pletten en achterin prijkte een batterij broodovens. In het midden stond een tafel met daarop een half afgewerkte paastaart. Yannick legde het wafelijzer over zijn schouder als een honkbalknuppel en waagde zich een paar passen verder. Het was onheilspellend stil, op het geplets van zijn schoenen in een plas water na. Maar toen hij naar beneden keek, zag Yannick dat er geen water, maar bloed aan zijn gympen kleefde. Meteen voelde hij een golf van paniek opkomen. Zijn hele lijf wilde vluchten, zo snel en zo ver mogelijk. Maar Yannick dwong zichzelf om verder te gaan. De bakkerij was leeg; niemand te zien... Zijn ogen vielen op de kuip van de kneedmachine. Rode druppels sierden het glanzende staal en op de vloer ervoor lag nog een plas. Naast de machine zag hij twee benen in een rode broek. Nee, het was een witte bakkersbroek, maar hij was zo doorweekt van het bloed, dat hij niet meer wit was. Op de wand achter de machine zaten nog meer rode spatten, alsof iemand het er met een tuinslang tegenaan had gesproeid.

Yannick voelde zich opnieuw misselijk worden. Misselijk van de schok en van de angst, nu hij zich realiseerde dat hier beneden komen een grove fout was geweest. Dat was mijnheer Depoorter die daar lag en Yannick had het onaangename gevoel dat diegene die hem zo had toegetakeld nog steeds hier beneden was. Opnieuw voelde hij een sterke drang om zo snel mogelijk de trap op rennen, het zou het verstandigste zijn. Maar zijn gedachten verdronken in een onaards gegrom. Nee, het klonk niet eens als een gegrom, eerder als een gerochel en op dat moment wist Yannick dat de dader van de twee bloedige moorden vlak achter hem stond.

Langzaam, heel langzaam draaide hij zich om, het wafelijzer nog steeds over zijn schouder als een knapzak. Hij was niet eens verbaasd dat het Wim niet was die voor hem stond.

In het nachtelijke donker had hij het dier niet goed kunnen zien, maar nu, onder het felle licht van de tl-lampen, bood Satan een gruwelijke en tegelijk ook wel meelijwekkende aanblik.

Zijn vacht was bijna helemaal uitgevallen waardoor het dier nog maar weinig gelijkenis vertoonde met een hond. De kale huid zag grauwgroen met hier en daar zwarte vlekken. Op sommige plaatsen was het vel weggescheurd en door de gaten kon je zijn ribben zien. Uit een diepe scheur in zijn buik, hingen de stinkende resten van zijn ingewanden als zwarte spaghetti. Ogen had hij niet meer, alleen twee slijmerige gaten, waarin maden krioelden. Yannick wist dat de hond hem kon ruiken, net zoals hij Wims ouders had geroken. Hij rook een van de jongens die op het kerkhof waren die nacht, lang geleden toen hij nog leefde. Hij rook ook vaag de man die hem had opengesneden. Satan ontblootte zijn tanden en rochelde. Een gele, stinkende en ongetwijfeld giftige brij drupte uit zijn bek op de vloer.

Het was nu een kwestie van wie de eerste zet deed. Heel langzaam tilde Yannick het wafelijzer boven zijn hoofd, zodat hij het met al zijn kracht kon laten neerkomen op de hondenkop. Het was zwaar genoeg om met één klap de schedel te verbrijzelen en de hersenen eronder te verpletteren. Satan zag het natuurlijk niet, hij rochelde en drupte alleen maar en kon hem ieder moment bespringen.

Toen klonk er kabaal boven. Snelle voetstappen op de trap.

Brigadier Desimpel was de eerste, die de bakkerij binnenstormde en gleed bijna uit in de plas bloed. Toen zag hij de jongen met het wafelijzer hoog boven zijn hoofd geheven, maar hij zag ook het wanstaltige gedrocht dat voor hem stond. De brigadier pakte zijn Smith & Wesson – in zijn zeven jaar dienst had hij zijn vuurwapen alleen nog maar uit de holster hoeven halen om het op te poetsen – en richtte.

Satan leek het gevaar aan te voelen, veerde even door zijn drie overblijvende poten en maakte een sprong. In een reflex stootte Yannick zich af en viel opzij, terwijl de muil met de scherpe tanden rakelings langs zijn arm scheerde. Hij smakte hard op zijn zij op de harde stenen en het wafelijzer kletterde vlak naast zijn hoofd.

Satan landde op de vloer en Desimpel loste een schot, maar miste. De kogel plantte zich in de muurtegels. In plaats van opnieuw aan te vallen, schoot het hondenlijk zijwaarts weg – ontzettend snel op zijn drie poten –, sprong op de tafel, zette zich af op de kneedmachine en worstelde zich door het openstaande kelderraam naar buiten.

[16] **Moord in het ziekenhuis**

Joris Casteleyns had zich een andere thuiskomst verwacht toen hij in een leeg huis kwam en vervolgens een telefoontje kreeg dat hij zijn zoons kon oppikken op het politiebureau. Wat hij daar te horen kreeg tartte zijn wildste verbeelding. Hij was vertrokken met de wetenschap dat zijn jongens de volgende dag een begrafenis zouden bijwonen en hij was teruggekeerd in een nachtmerrie met levende doden.

Yannick en Davy waren nog steeds in gesprek met een psychologe. Brigadier Desimpel had dus alle tijd om hun vader niet alleen op de hoogte te brengen, maar hem ook aan de tand te voelen over het feit dat hij de jongens alleen thuis had gelaten.

'Een paar uurtjes, dat moet kunnen,' zei hij, 'maar een heel weekend!'

'Yannick en Davy kunnen heel goed voor zichzelf zorgen!' weerde professor Casteleyns zich. 'En sinds de scheiding, zorgen ze zelfs beter voor mij dan ik voor hen.'

'Nou, u ziet wat er gebeurt', zei brigadier Desimpel. 'Ze lopen rond op straat en voor je het weet...'

'Ze hebben een zaak van milieuverontreiniging aan het licht gebracht en misschien wel mensenlevens gered!' riep hun vader uit. 'En u durft dan nog te beweren dat ik beter thuis had kunnen blijven om hen binnen te houden?'

Brigadier Desimpel zuchtte.

'Dat bedoel ik niet. Ik wil gewoon zeggen dat kinderen van hun leeftijd beter...'

'Papa!'

Er was een deur opengegaan in de gang en voordat mijnheer Casteleyns uit zijn stoel kon opstaan, hingen zijn twee jongens al om zijn nek.

'We hebben echt niks uitgevreten hoor!' zei Davy meteen.

'Ik heb jullie vader alles verteld', stelde brigadier Desimpel hen gerust.

'Jullie hadden gelijk', zei mijnheer Casteleyns. 'Maar jullie mogen het me echt niet kwalijk nemen dat ik jullie niet geloofde. Het klonk als de plot van een middelmatige horrorfilm.'

Sommige mensen houden van horrorfilms en griezelverhalen. Hoe meer bloed, hoe beter. Tenminste, zolang de hoofdrol niet voor hen is weggelegd. Yannick en vooral Davy waren nog steeds tamelijk van streek na wat ze vanmiddag hadden meegemaakt en konden maar niet ophouden met vertellen. Hun vader liet hen maar door ratelen. Als je zulke gruwelijke dingen hebt gezien, helpt het vaak als je het gewoon van je af kunt kletsen.

'Dus het is geen hersenvliesontsteking?' zei hij toen hij de brief van de school had gelezen.

Yannick schudde zijn hoofd.

Geen les wegens zombies.

Toen de broers onder de wol lagen, vroeg hun vader of hij het licht aan moest laten.

'We zijn geen baby's hoor!' riep Davy verontwaardigd. Maar hij wist ook dat hij, zodra hij zijn ogen sloot, weer in de badkamer van de Depoorters zou staan met mevrouw Depoorter in de badkuip en haar hoofd ernaast op het matje.

'Misschien alleen het licht in de hal', zei Yannick en dat vond Davy best.

'Ik snap niet waarom ze mensen aanvallen', fluisterde Davy toen papa de trap af was gegaan. 'Ik bedoel, doden hebben toch geen honger?'

'Ik begrijp het ook niet', zei Yannick stil. 'Ik denk dat ze alleen nog maar hun instinct hebben en wat flarden uit hun geheugen. Thomas had waarschijnlijk een bruuske beweging gemaakt, waardoor Wim zich bedreigd voelde.'

'En Satan dan? Wims ouders hebben hem toch niks misdaan?'

'Misschien was hij op zoek naar Wim. Hij heeft geen ogen meer en kan alleen nog maar ruiken. Hij zal de geur van Wim hebben opgepikt bij de bakkerij. Als jij niet had gedacht dat Wim naar huis was gegaan,...'

'Dan had iemand anders de lijken gevonden en hoefden wij nu niet te gaan slapen met het licht aan op de gang', zuchtte Davy.

•

De wijzer van de grote klok boven de liften sprong met een klik op vijf voor tien. De kinderafdeling van het UZ was in stilte gedompeld. De patiëntjes sliepen en in de koffieruimte was de nachtverpleegster in haar sudoku-puzzel verdiept. Het beloofde een rustige nacht te worden.

Maar voor Annelies Waremme was de nacht allesbehalve rustig. Ze had al drie uur thuis moeten zijn, maar de gebeurtenissen van vandaag hadden haar hele agenda overhoop gegooid. Het was ernstig. Heel ernstig. Ze zat achter haar bureau achter stapels boeken, in de besloten gloed van haar werklampje. Voor haar neus lag Wims medische dossier open op de resultaten van de verschillende onderzoeken. Nog dezelfde middag was ze naar Biotoxin gereden, maar de poort van het bedrijf was gesloten. De bewaker weigerde haar binnen te laten, maar na een beetje aandringen, kon hij haar wel vertellen dat er een paar weken geleden een ongeluk was gebeurd waardoor het hele productieproces moest worden stilgelegd. De tanks en machines werden nu ontsmet, maar daar had de dokter niet veel aan. Ze had de informatie meteen doorgebeld naar brigadier Desimpel. Die had al verschillende pogingen ondernomen om de directeur van Biotoxin te bereiken, zonder resultaat. Veel zin had het niet, want de man zou alles toch ontkennen. De getuigenis van de kinderen en de bewijzen die ze hadden verzameld waren eigenlijk veel te mager om het bedrijf in verdenking te stellen. Desimpel had een patrouille opgesteld in de buurt van het kerkhof, maar hij vermoedde ook dat ze bij Biotoxin ondertussen lont hadden geroken en waarschijnlijk niet meer zouden komen opdagen. De zaak dreigde vast te lopen.

Dokter Waremme zuchtte, sloeg een boek dicht over exotische paddenstoelen en nam nog een slok van haar pikzwarte koffie, die haar wakker moest houden.

Er huilde een kleuter in een van de kamers en de nachtverpleegster slofte de koffieruimte uit. Haar voetstappen stierven weg en de dokter hoorde in de verte een sussende stem. In de koffieruimte verschoof een stoel.

Dokter Waremme keek geschrokken op, want ze hoorde nog duidelijk de stem van de verpleegster die tegen het kleutertje praatte. Buiten zijzelf en de verpleegster was er niemand op de afdeling.

'Wie is daar?' riep ze.

Er kwam geen antwoord, maar ze hoorde duidelijk een aanwezigheid in de koffieruimte. Een geschuifel van schoenen op de tegelvloer. Een scherpe lijkengeur drong haar werkkamer binnen. Waar kwam dat vandaan?

Een kopje viel rinkelend aan scherven op de stenen.

Dokter Waremme schoot overeind, waarbij ze per ongeluk zelf haar kop koffie omstootte. Het bruine goedje overspoelde Wims dossier.

'Tommetoch!' vloekte ze en haalde een pakje tissues uit haar handtas om de boel op te vegen. Hierdoor zag ze niet dat de deur van haar werkkamer langzaam open ging. Een schaduw viel naar binnen over de witte tegels.

Dokter Waremme mikte de druppende zakdoekjes in de papiermand, maar het was pas toen ze een rochelend 'okter' hoorde, dat ze met een ruk opkeek. Haar druipende koffievingers bevroren boven de papiermand toen ze voelde hoe twee doffe, uitpuilende oogbollen haar aanstaarden.

'Wie – wie bent u?'

'Okter!'

De bezoeker kwam haar bureautje binnen en het licht viel op zijn gezicht. Dokter Waremme voelde een gil opkomen, maar die bleef ergens halverwege steken. Ze deinsde geschokt achteruit. Nu zag ze met eigen ogen dat Wim geen geval van schijndood was geweest. Ze had al vaker lijken gezien en zelfs een dat een week in een rioolput had gelegen. Wim was onmiskenbaar in een vergevorderde staat van ontbinding. Hij was al wat minder opgezwollen, maar zijn ogen puilden nog steeds uit. Maden krioelden in zijn oren en neusgaten en hij drupte gele smurrie op de vloer.

'Okter!'

Wim wankelde als een oud ventje van honderd, maar niettemin was hij wel snel. Hij strompelde recht op de dokter af. Annelies tastte in het rond naar een wapen en haar vingers sloten om de medische encyclopedie, waarin ze tevergeefs had gezocht naar gelijksoortige gevallen van levende doden. Het was een lijvig boekwerk van bijna tweeduizend pagina's, gebonden met een dikke kartonnen kaft en het woog zeker drie kilo.

Wim strompelde vooruit en stootte daarbij de hele stapel boeken omver. Dokter Waremme struikelde, hinkte achteruit en bonsde met haar rug tegen de stalen kast die tegen de muur stond.

'Okter!' bracht Wim opnieuw uit. Zijn wazige ogen staarden haar hongerig aan.

Hij kwam op haar af, maar ze zwaaide het boek met volle kracht naar haar belager. De rug van de encyclopedie beukte met een smak tegen de zijkant van Wims schedel. Het levende lijk viel opzij tegen de tafel, maar hield zich overeind met zijn armen. Wim richtte zich moeizaam op en keek opnieuw naar Annelies. Nu nog maar met één oog; het ander was door de klap uit zijn oogkas gefloept en hing aan de oogzenuw langs zijn wang te bungelen. In de lege oogkas zag Annelies maden krioelen. Geel slijm sijpelde langs zijn wang als een traan.

'Okter!'

Annelies had geen wapens meer, want het boek was door de kracht van de klap uit haar handen geslingerd en lag open onder de stoel, ver buiten haar bereik. Wim strompelde opnieuw vooruit. Annelies weerde hem wanhopig af met haar armen, maar zijn kracht was buitengewoon en ze bezweek onder zijn gewicht. Ze viel achterover en landde hard met haar schouder tegen de printertafel. Een razende pijn schoot door haar bovenarm. De val had haar schouder ontwricht en nu kon ze helemaal niet meer bewegen.

'Alsjeblieft!' smeekte ze nog, maar de doden hebben geen medelijden. Het stinkende lijk stortte zich rochelend op haar.

•

Yannick was erin geslaagd om toch wat te slapen, maar tegen de ochtend was hij badend in het zweet wakker geworden omdat hij meende Satans gegrom te horen in de hal. Het was gelukkig maar een droom en toen hij zijn ogen opende, scheen het daglicht volop door de ramen. Geen school! Yes! Davy's bed was leeg en hij hoorde de douche lopen. Yannicks broer had de hele nacht liggen woelen en was een paar keer met een schreeuw wakker geworden. Yannick prees zich gelukkig dat hij zijn nieuwsgierigheid had bedwongen en geen kijkje had genomen in de badkamer van de Depoorters.

Papa had pas om half twaalf college en zat aan de keukentafel van zijn koffie te genieten. In zijn andere hand hield hij de krant dubbelgevouwen, terwijl hij de strips achterin las.

'Mogge papa.' Yannick gaf zijn vader een ochtendkus, pakte een boterham en ging op zijn plaats zitten. Hij had net de pot chocopasta opgepakt, maar zijn mes bleef halverwege hangen toen hij de foto zag op de voorpagina. Je kon er niet naast kijken. Dat was dokter Waremme!

MOORD IN U.Z. schreeuwde de titel en eronder in kleinere letters: *lijk pediater gevonden op kinderafdeling*

Yannick voelde de grond onder zijn voeten wegzakken en griste de krant uit de vingers van zijn vader.

'Hé!' schrok die, maar toen hij het geschokte gezicht van zijn zoon zag, wist hij dat er iets mis was.

'Ken je haar?' vroeg hij toen hij zag welk artikel Yannick aan het lezen was.

Yannick knikte. 'Dat is de dokter van Wim. Ze heeft ons geholpen.'

Het levenloze lichaam van dokter Annelies Waremme was deze nacht rond kwart over tien gevonden door de nachtverpleegster. De politie had diezelfde avond nog het hele ziekenhuis uitgekamd, maar de dader was er allang vandoor.

Nog vreemder was dat het lichaam van Marcel Depoorter was verdwenen uit de diepvries van het mortuarium in de kelder.

Ondertussen was Davy ook beneden gekomen en natuurlijk schrok hij ook van het nieuws.

'Het was Wim!' wist Yannick. 'Daar was hij dus heen! Hij is het lijk van zijn pa gaan halen.' Maar waarom had hij die arme dokter vermoord? Gewoon omdat hij zich haar herinnerde? Ze had hem toch niets misdaan?

Toen herinnerde hij zich zelf iets. De eerste keer dat ze dokter Waremme hadden ontmoet, had Davy in de lift op het verkeerde knopje gedrukt. Er was niets gebeurd omdat je een sleutel nodig had om naar de kelder van het ziekenhuis te gaan. Ongetwijfeld had dokter Waremme zo'n sleutel. Wim was verdorie slimmer dan Yannick had gedacht. Of misschien was het ook een flard van een herinnering. Vast stond dat dokter Waremme dood was en dat met Wim nu ook het lichaam van de mijnheer Depoorter vermist werd. Nu het niet meer in de diepvries zat, waar de vrieskou het toxine tegenhield, was het vast alweer levend geworden.

'Satan, Wim en mijnheer Depoorter', zei Davy. 'Dat brengt het aantal zombies op drie!'

Yannick legde de krant in zijn bord, want hij moest aan Hannes woorden denken. Als ieder van hen twee mensen bijt, en die zes mensen bijten op hun beurt elk nog eens twee mensen...

Hij gruwde bij de gedachte.

[17] Geluid in de kelder

Dat Wim de dader was, stond ook voor brigadier Desimpel vast. Wim had flink wat sporen achtergelaten, maar de echte doorbraak kwam nog dezelfde ochtend toen de politie een melding binnenkreeg dat er een voetganger midden op de autosnelweg liep. Dat kon maar twee dingen betekenen: iemand met zelfmoordneigingen of iemand die geen verstand meer had. Wim voldeed volkomen aan die laatste beschrijving en toen Desimpel plankgas gaf en met loeiende sirene door de dorpskern raasde, drong het tot hem door dat zelfmoord misschien niet eens zo ondenkbaar was. Misschien was er een klein stukje zelfbewustzijn in Wim, dat verlangde naar eeuwige rust.

Bij de afrit, zag hij al twee politiebusjes met flitsende zwaailichten op de brug over de autosnelweg staan.

'En?' vroeg de brigadier, terwijl hij naar een van de agenten rende.

'We zijn hem kwijt', klonk het op verontschuldigende toon.

Ongeveer een kilometer verderop ritselde er iets in het struikgewas. Wim kwam uit het gebladerte tevoorschijn en keek omhoog naar de gele schelp bovenaan de paal. Zijn nachtelijke uitje en het gevecht met de dokter hadden hem geen goed gedaan. Hij miste grote plukken haar en zijn oog, dat dokter Waremme uit zijn hoofd had geslagen, was hij ergens op zijn vlucht kwijtgeraakt. Alleen de afgeknapte zenuw hing nog uit de lege oogkas, waaruit een mengeling van maden en gele etter sijpelde. Hij zag er niet meer zo opgeblazen uit. Zijn gezicht leek eerder uitgemergeld en zijn lippen spanden over zijn gebit in een skeletachtige grijns. Zijn huid vertoonde al grote zwarte vlekken en het vel van zijn vingers begon los te laten, waardoor het leek alsof hij flarden van een rubber handschoen droeg.

Achter hem suisde het verkeer voorbij met zo'n honderdtwintig kilometer per uur. Wim rochelde wat halfverteerde ingewanden op en strompelde naar het tankstation, waar de auto's en de vrachtwagens geduldig wachtten op hun beurt. Het kwam hem allemaal bekend voor, maar met zijn hersenen waren ook zijn laatste herinneringen gaan rotten.

Een vrouw in een strak mantelpakje had net de dop van de benzinetank van haar donkergroene Renault geschroefd toen het levende lijk opdook achter de pomp met loodvrije superbenzine. De vrouw schrok zo erg dat ze nauwelijks kon gillen. Haar adem stokte en ze deinsde achteruit tot ze het portier van haar auto in haar rug voelde. Toen het lijk op haar af kwam, werd alles zwart voor haar ogen en zakte ze in elkaar. Wim hield van de smaak van vers bloed. Het prikkelde zijn hersenen en voedde het toxine die nog steeds in zijn hoofd borrelde. Hij knielde naast de bewusteloze vrouw en er klonk een geluid alsof iemand een T-shirt stukscheurde toen de rottende huid rond zijn kniegewrichten openbarstte.

Verschillende mensen kwamen de vrouw te hulp, maar toen ze Wim zagen, durfde niemand dichterbij te komen. Waarschijnlijk dachten ze allemaal dat ze nog aan het dromen waren. Wim nam de hand van de vrouw en zag de blauwe aders onder haar bleke huid. Eén beet en het warme bloed zou zijn mond vullen.

'Hij gaat haar opeten!' riep een man verschrikt.

Een trucker had een moersleutel uit zijn vrachtwagen gehaald en had net genoeg moed verzameld om het monster te lijf te gaan, zodra hij de vrouw zou bijten. Maar Wim beet haar niet. Zijn ene overblijvende oog had de lichtvloed opgevangen die uit de etalage van het winkeltje stroomde. Het licht had een hypnotisch effect; het lonkte hem en er tintelde iets in zijn hoofd.

Wim stond op en hinkte naar de deur. De geschokte omstanders gingen vanzelf opzij toen hij voorbijkwam. Zelfs de trucker met de moersleutel deed een stapje achteruit. Niet in het minst door de verschrikkelijke stank. De glazen deuren schoven open en Wim slofte naar binnen. De blonde studente achter de kassa bevroor en staarde hem met wijd open ogen aan. Ze zou moeten vluchten, maar de schok had haar verlamd, net zoals met konijnen gebeurt wanneer ze in de koplampen van een aanstormende auto terechtkomen.

Het rottende lijk bleef voor de kassa staan en het ene doffe oog staarde naar het rekje met snoeprepen op de toonbank.

'Erchch... echcher', rochelde Wim en wilde een chocoladereep uit het rekje pakken. Maar hij kon zijn bewegingen nog nauwelijks onder controle houden en stootte het hele rekje om. De vloer werd ondergesneeuwd met chocoladerepen en zakjes met gombeertjes, hartjes en dropveters.

De caissière bleef onbeweeglijk. Althans boven de toonbank, maar Wim was te zeer geboeid door de kleurige pakjes aan zijn voeten om te merken dat ze onder de kassa de alarmknop had ingedrukt.

Hij zakte opnieuw krakend door zijn knieën, raapte een Mars op en stak de ingepakte chocoladereep in zijn mond. Een verre herinnering uit zijn leven; een herinnering aan zoetigheid, aan plezier, aan genot. Hij beet door de verpakking heen en de gesmolten chocolade vulde zijn mond. Twee van zijn tanden kletterden op de vloer.

Het meisje achter de kassa sloot opgelucht haar ogen toen ze de sirenes hoorde in de verte.

Wim hoorde ze ook en keek op met zijn mond vol chocolade. Zijn ene oog draaide naar het raam waar de politieauto's in een gloed van blauw licht het benzinestation binnenreden. Hij stond op en strompelde zo snel zijn rottende spieren hem konden dragen de winkel uit.

Brigadier Desimpel had meteen geweten dat het Wim was toen hij over de politieradio hoorde dat er een overval aan de gang was in het Shell-station langs de snelweg. Het was vlakbij de plek waar hij voor het laatst was gezien. De brigadier stapte uit zijn auto en trok meteen zijn revolver toen hij het lijk uit de winkel zag komen. Hij dacht aan wat dokter Waremme hem had gezegd: hij moest het hoofd raken, zodat de hersenen werden uitgeschakeld. Maar Wim stopte en bleef pal voor de deur van de winkel staan, waardoor de kans te groot was dat de kogel de caissière raakte. De andere agenten hadden de zombiejongen nu ook onder schot, klaar om te vuren zodra hij gevaarlijk werd.

Brigadier Desimpel liet zijn revolver zakken en liep behoedzaam op het levende lijk af. Als hij Wim kon weglokken van de mensen, zou het makkelijker zijn om hem uit te schakelen.

Het ene melkachtige oog keek de aankomende politieagent aan en de zure stank van rottend vlees walmde Desimpels neus binnen. Nog een paar meter. Zijn maag trok samen, maar Desimpel verdrong de walging uit zijn hoofd.

'Dag Wim', groette hij poeslief.

'Heurgh!' bracht Wim ineens uit en stormde op de brigadier af. Met zijn rottende gezicht onder de chocolade, zag hij er nog vervaarlijker uit. Desimpel richtte zijn revolver, maar aarzelde en het volgende moment lag hij op de grond. Wim was verbazingwekkend snel, ondanks zijn vergevorderde staat van ontbinding en hinkte over het parkeerterrein.

'Hij loopt naar de snelweg!' hoorde Desimpel door de radio en toen wist hij dat Wim hier wel degelijk heen was gekomen met één doel voor ogen: het laatste stukje bewustzijn dat hem nog restte wilde hier voorgoed een eind aan maken.

'Stop! Stop!' hoorde hij de agenten roepen; alsof dat iets zou uitmaken.

Wim spurtte langs de vangrails en rende over de pechstrook het eerste baanvak op.

Een eerste auto kon hem nog toeterend ontwijken, maar een Hongaarse vrachtwagen die erachter kwam reed met honderdtien op hem in.

De smurrie was aanzienlijk, maar brigadier Desimpel was gerustgesteld.

Wim was dood. En deze keer voorgoed.

•

Aan het begin van de avond stond Hanne onverwacht voor de deur. Juf Katrien wilde niet dat haar leerlingen achterstand opliepen en was een stapel extra huiswerk aan het rondbrengen. Drie dagen voor de paasvakantie, stel je voor!

Hanne had haar beloofd dat ze het huiswerk van Yannick en Davy zelf wel zou langsbrengen en Yannick wist precies waarom. Hij voelde het zelfs aan de manier waarop zijn vriendinnetje hem aankeek. Haar ouders waren naar hun werk; ze was bang en alleen en verlangde naar een beetje gezelschap. Hij kon dus niet zomaar het huiswerk aannemen

en haar weer buiten zetten – iets waar Davy veel zin in had.
'Als je wilt kunnen we het samen even doornemen', stelde
Yannick voor. Hanne glunderde en Davy liet met een luide
zucht zijn ongenoegen blijken.
'We moeten wel voor het eten zorgen. Het is al bijna zes
uur!'
'Hanne kan gerust mee-eten, als ze dat wil', zei Yannick en
liet zijn broer met een waarschuwende blik weten dat hij
maar beter niet kon protesteren.
'Mijn ouders hebben liever dat ik thuis ben als het donker
wordt', zei ze.
'Papa kan je straks wel naar huis brengen met de auto.'
Dat vond Hanne een prima idee, want toen ze de beslissing
had genomen om naar het huis van de Casteleyns te gaan,
had ze er geen rekening mee gehouden, dat ze in het donker
terug zou moeten.
'Anders mag je straks wel blijven slapen bij Yannick in bed',
plaagde Davy en voegde er een kreet van pijn aan toe toen
de vuist van zijn broer zich keihard in de spieren van zijn
bovenarm plantte.
Het huiswerk was niet mis. De paasvakantie duurde maar
twee weken, maar ze hadden genoeg opgaven gekregen om
een hele maand zoet mee te zijn.
'Juf Katrien heeft er wel bij gezegd, dat we niet alles hoeven
te maken', verduidelijkte Hanne.
'O goed', zei Davy opgelucht en kieperde zijn bundeltje in
de bak met oud papier, waarna hij in de keuken het avondeten ging ontdooien. Yannick en Hanne bleven alleen achter
op de grote bank in de woonkamer. Er viel een vervelende
stilte.
'Wanneer komt je vader eigenlijk thuis?' vroeg Hanne uiteindelijk.

'Gewoonlijk rond een uur of zeven, als hij niet in de file staat.'

Ze ging dichter tegen hem aan zitten en Yannick voelde zijn hart sneller kloppen. Heel voorzichtig legde hij zijn arm om haar heen. Ze nestelde zich tegen zijn schouder aan en bleef hem recht in de ogen kijken. Ze wisten nu allebei wat er zou komen. Yannick tuitte zijn lippen al, maar toen klonk er ergens in huis een harde bons.

Davy kwam de keuken uit, wat bewees dat Yannick het zich niet had ingebeeld.

'Dat komt uit de kelder!'

'Er is vast iets omgevallen', bedacht Yannick en hij liet zijn vriendinnetje met tegenzin los. Het moment was nu toch verknoeid.

Met zijn broer achter hem, liep Yannick de gang in, maar toen hij zijn hand op de klink van de kelderdeur legde, aarzelde hij. Soms heb je zo van die situaties, waarin je beseft dat je ze al in een droom hebt gezien. Een *déjà-vu* heet zoiets. En Yannick had op dat moment exact hetzelfde gevoel. Hij schudde het van zich af en maakte behoedzaam de deur open.

De keldertrap was donker en hij tastte naar de schakelaar naast de deur. Beneden ging het licht aan en van bovenaf kon Yannick recht in het atelier van zijn vader kijken. Er blonken glasscherven op de vloer.

Yannick waagde zich op de trap en sloop behoedzaam, trede voor trede naar beneden. Davy volgde vlak achter hem, maar bleef op een afstand. Toen Yannick de werktafel bereikte, kraakten de scherven onder zijn gympen. Nu zag hij ook wat er was gebeurd. De stok, die papa gebruikte om het kelderraampje bij warm weer open te houden, was omgevallen en lag op de vloer tussen de scherven. Maar als de stok tegen het glas was gevallen, dan zouden de scherven buiten liggen en niet binnen, een meter over de vloer verspreid. Er moest iets van buitenaf met ontzettende kracht door de ruit gegaan zijn. Opeens wenste Yannick vurig dat hij een wapen had meegebracht. Maar hij bedaarde, toen hij zich realiseerde dat het kelderraampje veel te klein was voor een inbreker. Het atelier was leeg, uitgezonderd de tientallen opgezette dieren. Ze staarden de jongen aan van op rekken en tafels met levensechte glazen oogjes, die schitterden in het schijnsel van de tl-lamp aan het plafond. Blinkende tanden, grijpende klauwen. Voor wie niet wist dat de dieren waren opgezet, leek het net alsof de arme Yannick door een horde pluizige bosbewoners in een hinderlaag was gelokt.

Een van de dieren had geen ogen. Alleen twee lege oogkassen met kronkelende maden erin. Hij had geen vacht meer en zijn huid hing nog maar met losse flarden aan zijn schedel. De muil ging open en nog voordat Yannick ook maar de kans kreeg te schrikken, schoot Satan rochelend onder de werktafel vandaan. De jongen gaf een gil, maar het hondenlijk vloog opzij toen het geraakt werd door een dik stuk hout. Davy had nog twee houtblokken te pakken gekregen, die papa gebruikte om voetstukken te maken voor de kleinere dieren. Een tweede blok raakte Satan recht op de snuit en de hond uitte een vochtig gehijg. Zijn stembanden waren al te ver vergaan, om nog een hoorbare klank voort te brengen.

Yannick maakte van de afleiding gebruik om zich als de bliksem om te draaien en naar zijn broer op de trap te spurten. Satan was al van de verrassing bekomen en racete achter de tweeling aan. De jongens konden nog net hals over kop naar boven vluchten. Daar sloeg Yannick de kelderdeur dicht en schoof de grendel ervoor.

Aan de andere kant smakte Satan met een keiharde bons tegen de deur aan. Het hout kraakte vervaarlijk en de jongens bleven doodsbang staan, onzeker of de deur het zou houden. Ze konden het monster horen hijgen en rochelen aan de andere kant.

BAM! Opnieuw beukte Satan met zijn volle gewicht tegen de deur. De schroeven waarmee de grendel was vastgemaakt, werden een eind uit het hout gerukt en er verscheen een scheur in het dunne paneel.

'Shit! Hij houdt het niet!' riep Davy uit.

Het was nu nog maar een kwestie van seconden voor de hond er doorheen zou zijn. De jongens renden de woonkamer in. Yannick griste de gietijzeren pook uit het haardstel en woog het ding in zijn hand. Het was zwaar en voorzien van een niet al te botte punt, waardoor het een geducht wapen kon zijn.

'Wat is er?' vroeg Hanne angstig. 'Wat is dat gebons?'

Op dat moment klonk er weer een harde knal en ze hoorden de kelderdeur krakend uit zijn hengsels vliegen. Satans gehijg vulde de keuken. Hanne stond op nu ze zich realiseerde wie er was binnengekomen.

'Ga buiten hulp halen!' fluisterde Yannick. Hanne knikte, maar op dat moment verscheen Satan in de deuropening. Zijn grauwe huid was bijna reflecterend in het witte tl-licht van de keuken, waardoor hij eerder iets weg had van een buitenaards monster. Zijn lege oogkassen staarden in het ijle, maar het rochelende gegrom verried dat hij de kinderen rook.

Nu herinnerde Yannick zich zijn droom. In die droom ging hij dood, maar hij was niet van plan om dit te laten gebeuren.

[18] Een beltoon in de verte

Yannick ging voor Davy en Hanne staan en omklemde de haardpook met beide handen als een slagzwaard.

'Kom op, rotbeest!' schreeuwde hij.

Toen ging alles heel snel. Satan stormde op de kinderen af, ontweek de neerkomende pook op een haartje na – als hij er nog een had gehad – en sprong tegen Hanne op. Het meisje gilde, viel achterover onder het gewicht van de hond en smakte op de vloer. Haar hoofd beukte tegen de tegels, waardoor een hele sterrenhemel losbarstte voor haar ogen. En tussen die sterren ging Satans stinkende muil open.

Deze keer aarzelde Yannick geen seconde. Hij tilde de pook opnieuw hoog boven zijn hoofd en sloeg hem met alle kracht die hij in zich had op Satans hersenpan. De gietijzeren stang verbrijzelde de schedel van de hond met een doffe krak. Zonder een kik zakte het monster door zijn poten, bovenop Hanne. De haardpook kletterde op de vloer. Yannick hijgde van de inspanning en de schok en staarde naar de dode hond. Had hij dat gedaan? Had hij het monster gedood dat Wims ouders had vermoord? Zijn angst maakte plaats voor een gevoel van trots.

'Haal hem weg! Haal hem weg!' snikte Hanne onder het hondenlijk vandaan.

Yannick en Davy trokken Satan van het meisje en hielpen haar overeind. Ze zag, net als de tweeling, asgrauw van schrik en trilde over haar hele lichaam. Zodra ze stond, gooide ze haar armen om Yannick heen. Ze ademde snel en zwaar en Yannick dacht dat ze in snikken zou uitbarsten, maar dat deed ze niet. Toen ze hem losliet, keek ze hem diep in de ogen en er verscheen een klein lachje rond haar mondhoeken.

'Je hebt m'n leven gered', zei ze. Toen pakte ze hem bij zijn schouders en kuste hem pal op de mond.

'Wauw!' zei Davy alleen maar, terwijl hij keek naar wat overbleef van Satans kop.

Hanne stond nog steeds te trillen op haar benen, hoewel ze nu niet meer zeker was of het van de schrik was of van de kus.

Yannick, die nu ongeveer dertig centimeter boven de vloer zweefde, haalde een glas water voor haar en ook eentje voor hem, zodat ze allebei konden bekomen van al die emoties.

'Gaat het al beter?' vroeg hij terwijl hij naast haar ging zitten. Hanne nam het glas water in haar bevende handen. Ze knikte en glimlachte opnieuw.

'Het is eigenlijk wel grappig', zei ze na een korte stilte.

Yannick keek raar op en fronste zijn wenkbrauwen. 'Grappig?'

'Nee, dat bedoel ik niet... ik bedoel... ik kom naar jullie omdat ik denk dat ik hier veilig ben en dan gebeurt dit...'

'Hebben Wicca geen toverspreuken of zo om zombies weg te jagen?' vroeg Yannick.

'Dit zou moeten werken', zei Hanne en ze toonde het pentagram dat ze om haar nek droeg. 'Het pentagram biedt bescherming tegen de kwade krachten.'

'Nou, dan moet je toch eens nieuwe batterijen in jouw pentadinges stoppen', smaalde Davy.

'Het heeft haar beschermd!' zei Yannick. 'Anders was Hanne nu dood geweest. Satan aarzelde, waarschijnlijk omdat hij de kracht van het pentagram voelde...'

'Jij hebt het perfecte vriendje gevonden', zei Davy tegen Hanne. 'Yannick gelooft ook in al die wacco-onzin.'

'Wicca,' verbeterde Yannick zijn broer, 'en het is geen onzin!'

'Wat je maar wil, broertje, maar we kunnen dit hier niet laten liggen.'

Er viel een stilte terwijl de drie kinderen nadachten over wat er met het lijk moest gebeuren.

'Dokter Waremme heeft gezegd dat het toxine niet meer actief is bij koude temperaturen', zei Davy.

'Wat wil je dan doen? Satan in het vriesvak proppen bij de ijsblokjes?'

'Nee, we moeten de lijken verbranden', zei Hanne. 'Dat heeft dokter Waremme gezegd.'

Het was in ieder geval het beste wat ze konden doen om te vermijden dat een van hen alsnog besmet geraakte. De jongens haalden rubber handschoenen uit papa's werkkamer en droegen Satans lijk de tuin in. Het begon al donker te worden en de dreigende wolken in de verte kondigden een stortbui aan. Ze wikkelden de dode hond in een plastic zak en droegen hem naar de andere kant van de tuin, ver van het huis en het schuurtje. Davy sprokkelde wat takken en droog gras, die hij over het lijk legde en Yannick stak alles aan met de gasaansteker uit de keuken. De handschoenen gooiden ze erbij.

Ze bleven niet staan kijken hoe Satans lichaam door de vlammen werd verteerd.

'Moeten we de politie niet bellen?' vroeg Hanne, die bij de tuindeur stond toe te kijken.

'Waarom?', vroeg Davy. 'Het bewijs wordt nu toch opgestookt. De politie kan hier niks komen doen.'

'Maar ik ga wel papa bellen', zei Yannick. 'Hij had al een uur thuis moeten zijn!'

Davy keek op zijn horloge. Papa's laatste college was een uur geleden afgelopen en hij werd nu ook ongerust.

Yannick pakte de hoorn en draaide het nummer van zijn vaders mobieltje. Maar niemand nam op. Yannick zuchtte en legde de hoorn neer, maar Davy keek met een vreemd gezicht om zich heen alsof er een vlieg om zijn hoofd zoemde.

'Bel hem nog eens?' vroeg hij.

'Waarom?'

'Bel zijn nummer en luister!'

Yannick drukte op de *redial* toets en bedekte de hoorn met zijn hand, zodat hij kon luisteren. Davy had zijn wijsvinger tegen zijn lippen en het was een raar gezicht nu ze alle drie naar het plafond keken. Heel vaag in de verte klonk het deuntje van *The A-Team*, de beltoon van papa's mobieltje.

'Hij is hier!'

Yannick legde de hoorn op het tafeltje naast het toestel en probeerde met Davy en Hanne te achterhalen waar het deuntje vandaan kwam. Het kwam niet uit het huis, maar van buiten.

Ze liepen naar de voordeur en toen Davy die open deed, zagen ze in de regen de grijze Seat Cordoba half op de oprit staan. De koplampen priemden door de striemende druppels en schenen tegen de garagepoort. Het portier stond open en het melodietje klonk nu overduidelijk. Hanne bleef in de deuropening staan, terwijl de jongens naar de auto liepen. Papa's mobieltje lag op de stoel en Yannick voelde zich misselijk worden toen hij de donkerrode vlekken zag. Hij pakte het mobieltje op en verbrak de verbinding om het deuntje het zwijgen op te leggen.

Toen hij een stap achteruit deed, voelde hij iets tegen zijn voet. Het was papa's horloge. Hij had de dure Seiko van mama gekregen voor hun vijfde huwelijksdag, een jaar voor de scheiding. Het bandje was geknapt en het horloge was stuk, waarschijnlijk door de klap. Het glas was gebarsten en de wijzers stonden stil op een paar minuten over half acht. Maar toen hadden ze Satan al uitgeschakeld en waren ze in de kelder rubber handschoenen aan het zoeken!

Met een ruk kwam Yannick overeind.

'Naar binnen! Naar binnen!' schreeuwde hij.

Davy en Hanne renden het huis in. Yannick volgde hen de hal in, sloot snel de deur achter zich en schoof de grendel ervoor.

Buiten in de tuin laaiden de vlammen hoog op.

'We hebben wapens nodig!' bedacht Davy.

'Er ligt een bijl in het schuurtje!' wist Yannick.

'Ga jij hem halen?'

Nee, daar had Yannick niet veel zin in. Voor hetzelfde geld lag diegene of datgene dat papa had aangevallen in de tuin op de loer.

'Ik bel de politie', besloot Hanne. 'In afwachting kunnen we ons verstoppen tot...'

DING-DONG!

De drie kinderen keken elkaar geschrokken aan.

'Het is misschien papa!' zei Davy hoopvol.

Yannick wou ook niets liever dan het geloven, maar hij was in die dingen altijd een stuk nuchterder geweest dan zijn broer. Papa was dood, daar was hij zeker van. Maar nu was het moment niet om daarover te piekeren of in tranen uit te barsten. Morgen misschien, als alles voorbij zou zijn. Misschien.

Yannick zag Davy de gang in lopen. 'Niet openmaken!' fluisterde hij zo hard hij kon. 'Papa heeft een sleutel!'

'Hij kan hem toch verloren hebben?'

DING-DONG! DING-DONG! Het belgerinkel hield aan; iemand wilde absoluut binnen! Iemand, of iets....

'Misschien is het iemand die ons wil helpen!' opperde Hanne.

BOM-BOM-BOM! Nu werd er op de deur geklopt!

'Niet openmaken!' waarschuwde Yannick opnieuw.

'Ik kijk alleen maar door het raampje', verzekerde Davy.

Voorzichtig trok hij het gordijntje opzij. In een korte glimp meende hij zijn vader te zien... Even maar... Toen viel het licht op een afgrijselijk rottend gezicht.

De grendel! flitste het door zijn hoofd. Maar voordat Davy de grendel ervoor kon schuiven, knalde de voordeur open. De jongen werd door de klap achteruit geworpen en landde op de vloer. Nu zag hij wie er in de deuropening stond... of liever 'wat'.

[19] Verschanst in de badkamer

Marcel Depoorter bleef in het portiek staan. Hij droeg nog steeds zijn bakkersschort, maar die zat vol donkerbruine vlekken van gestold bloed. Uit zijn linkerzij ontbrak een stuk en in het rafelige gat kon je zijn ribben en een deel van zijn ingewanden zien zitten. Zijn keel was half doorgebeten en zijn bleke, grauwe hoofd stond helemaal wankel op zijn schouders. Een stuk van zijn slokdarm hing uit het bloederige gat. Er miste ook een deel van zijn gezicht en waar zijn neus had gezeten, gaapte een rochelend gat. Zijn ogen staarden de jongen op de grond dof en mistig aan. In zijn armen klemde hij het *paaskonijn* dat professor Casteleyns voor hem had opgezet, samen met Yannick.

'Is chon ijn! Is cho nijn!' rochelde mijnheer Depoorter en schuifelde de hal in.

Davy krabbelde op handen en voeten achteruit, maar voelde toen hoe Yannicks handen hem onder zijn oksels grepen en hem overeind tilden.

Marcel Depoorter versperde de weg naar de trap en de voordeur. De enige ontsnappingsmogelijkheid was door de tuindeur. Maar wat als er nog meer zombies rondliepen?

Het lijk van Marcel Depoorter dreef de drie kinderen de woonkamer in. Yannick keek verlangend naar zijn haardpook, die ver buiten zijn bereik naast het salontafeltje lag. In de keuken lagen messen, maar daar zouden ze geen enkele mogelijkheid meer hebben om te ontsnappen. Hanne had het handvat van de grote glazen tuindeur al vast en gaf een ijselijke gil, waardoor zelfs zombie Depoorter even terugdeinsde.

Aan de andere kant van het glas stond een schim met een bijl. De bijl uit het schuurtje, wist Yannick. Er kleefde bloed aan, maar aan de manier van bewegen zag hij meteen dat de persoon die de bijl vast had, geen zombie was.

'Papa!' Yannick schoof de tuindeur meteen open.

'Uit de weg!' riep de universiteitsprofessor en duwde zijn zoon opzij. Hij was gewond geraakt tijdens een gevecht, maar als hij vergiftigd was, dan had hij allang dood moeten zijn.

Met opgeheven bijl stormde Joris Casteleyns op zijn oude klasgenoot af.

'Is Chonijn!' brieste Depoorter en stak het opgezette knaagdier in de lucht, alsof het een of andere magische talisman was waarmee hij de bijl kon afweren.

'Is konijn? Ja, klootzak!' riep vader. 'Een konijn voor een stommeling, die niet eens deftig dood kan blijven!'

Hij hield de kleverige bijl hoog boven zijn hoofd. De vijandschap uit hun kindertijd was een van de diepst gewortelde herinneringen en was nu het enige wat hen allebei dreef. De dode Marcel en de verbitterde Joris.

De bakker klauwde en hapte naar Joris, maar papa bracht de bijl neer. Marcel Depoorter zag het wapen aankomen en weerde zijn hoofd af. Het blad van de bijl plantte zich met een vlezige smak in zijn schouder. Met een bons viel de linkerarm van de bakker op de vloer. Een guts donker bloed kletste op het tapijt, maar het levende lijk bleef doorgaan.

'Z'n hoofd papa!' riep Yannick. 'Sla z'n hoofd eraf!'

Papa wilde de zware bijl opnieuw opheffen, maar de bakker

was hem voor en duwde hem tegen de vitrine. Joris' hand ging door het glas en de bijl kletterde op de vloer.

Bakker Depoorter probeerde de halsslagader door te bijten, maar Joris worstelde onder hem uit, greep hem bij zijn ene overblijvende arm en trok hem langs zich heen zodat het hoofd van de bakker rinkelend door het glas van de andere deur ging.

'Naar boven! Naar boven!' riep hij en de drie kinderen renden de hal in en de trap op alsof hun leven ervan afhing – wat eigenlijk ook wel het geval was.

Bovenaan de trap gaf Hanne een gil toen ze voor een grijnzende muil met scherpe tanden stond, maar zag toen dat deze hond was opgezet. Opgezette dieren hadden geen hersenen meer en waren dus ook immuun voor het toxine.

Marcel Depoorter had zich ondertussen bevrijd en stormde de hal in. Maar Joris rende de trap op met twee treden tegelijk.

'Hierbinnen papa!'

Vanuit de badkamer wenkte Davy zijn vader. Eenmaal binnen sloeg professor Casteleyns de deur dicht en draaide hem op slot.

'Is iedereen oké?'

De drie kinderen knikten, maar zagen nu dat hij er erger aan toe was. Hij bloedde hevig aan zijn hand en uit een diepe wond in zijn voorhoofd.

BONK – BONK – BONK

Dat was de zombiebakker die op de badkamerdeur bonkte.

Hanne sloeg haar armen om Yannick heen; ze rilde over haar hele lichaam.

'K-kan hij naar binnen?' vroeg ze stil.

'Ik denk het niet', zei Davy, die naast zijn vader zat geknield. Hij had een drukverband in het medicijnkastje gevonden en bond hiermee papa's arm af, in een poging het bloeden te stoppen.

'Nee', zei Joris. 'En als het hem toch lukt, dan is hij nog niet jarig.' En hij legde zijn bebloede hand op de bijl, die hij naast zich tegen de wastafel had gezet.

'Wacht!' riep Yannick ineens. Hij worstelde zich uit Hannes omhelzing, klom op de rand van de badkuip en trok de stang los, waaraan het douchegordijn was vastgemaakt. Die klemde hij stevig tussen de deur en de badkuip. De deur zat nu echt goed dicht en ze konden gerust ademhalen. Papa zakte in elkaar tegen de wastafel en grijnsde.

'Een dag uit het leven van een professor sociaal recht.'

Marcel bleef de hele nacht op de deur bonken. Je zou er niet van slapen, maar uiteindelijk was papa toch ingedommeld. Davy was met opgetrokken knieën op de gesloten wc gaan zitten en Yannick zat tegen de badkuip met zijn arm om Hanne heen. Ze keek hem aan met ongeruste ogen, maar glimlachte ook een beetje. Een geruststellende glimlach die vertelde hoeveel ze van hem hield en die Yannicks hart in vuur en vlam zette.

De jongen keek even naar zijn vader om te zien of hij nog steeds sliep en keek toen opnieuw in Hannes prachtige ogen.

'Ik hou van je', fluisterde hij.

'Ik ook van jou', zei Hanne.

Davy wendde zijn hoofd af toen zijn broer en Hanne begonnen te zoenen en keek door het raam naar buiten, waar wel twintig schimmen doelloos door de straat strompelden. De mannequins in de etalage aan de overkant keken breed glimlachend naar de zombies. Hij meende in een van de levende doden juf Katrien te herkennen, maar het kon ook iemand anders zijn. De voorspelling van dokter Waremme was uitgekomen.

Toen Yannick wakker werd, was het gebonk gestopt. Ondanks alles had hij toch heerlijk geslapen met Hanne in zijn armen. Hij kneep zijn ogen tot spleetjes tegen het daglicht dat de badkamer binnen viel. Het was somber buiten en er kleefden regendruppels tegen het raam. Hanne lag nog steeds in zijn schoot. Wat was ze mooi. Hij voelde een onweerstaanbare drang om dat prachtige lange haar te strelen.

BONK – BONK

Nu was iedereen wakker.

BONK – BONK

'Ik dacht dat hij weg was', snikte Hanne en ze begon te huilen.

'Nee, luister!' suste Yannick. Het was een ander geluid. Veel harder en scherper dan de vuist van de zombie tegen het deurpaneel.

Plotseling knalde de deur open met een explosie van houtsplinters. De staaf van het douchegordijn boog doormidden en landde rinkelend in de badkuip.

In de deuropening verscheen niet de verminkte, rottende schedel van Marcel Depoorter, maar het jonge gezicht van brigadier Desimpel. Hij had een zware stormram van de politie in zijn handen en zag er, ondanks de vermoeide, vastberaden uitdrukking op zijn gezicht, heel erg levend uit.

'Jullie leven nog!' riep hij uit, alsof dat een wonder was. Misschien was het ook wel een wonder.

'Hanne!'

Hannes ouders duwden de brigadier opzij en Yannick trok snel zijn armen weg van hun dochter. Hanne stond op en haar ouders sloten haar snikkend in hun armen.

'O, Hanne! Het is een gekkenhuis daarbuiten!'

'Zijn ze dan nog niet dood?' vroeg Yannick verschrikt.

'Nog niet allemaal,' zei de brigadier, 'maar we hebben versterking gekregen van de federale en het leger en alles komt zo langzamerhand weer onder controle.'

Yannick en Davy hielpen hun vader overeind, die behoorlijk verzwakt was door het bloedverlies, en samen volgden ze de brigadier de gang in, waar nog vijf agenten stonden. Achter hen liepen Hanne en haar ouders.

Toen ze op de trap waren, klonk in de tuin een scherpe knal en door het glas van de tuindeur zagen ze dat zes agenten buiten een lichaam op de laaiende brandstapel gooiden. Een donkere rook dampte uit het vuur en steeg hoog de lucht in. Overal hing de geur van verbrand vlees. Net een mislukte barbecue, vond Yannick, en hij kon het niet helpen dat hij moest glimlachen.

Hij wilde gaan kijken, om zich ervan te vergewissen dat Depoorter echt dood was, maar de brigadier hield hem tegen.

'Daarbuiten is niets te zien voor jou.'

De vader van Yannick en Davy werd, ondersteund door twee agenten, naar een ambulance gebracht, die buiten voor de oprit stond. Er klonken schoten in de verte en overal waar hij keek, zag Yannick donkere rookpluimen. Het leek wel oorlog. Eigenlijk was het ook wel oorlog. Een oorlog tussen de levenden en de doden.

'Jullie hoeven niet meer bang te zijn', stelde Desimpel de jongens gerust. We brengen jullie naar het politiebureau. Daar ben je veilig. Jullie vader heeft me gevraagd om jullie naar oma te brengen in Antwerpen. Daar kunnen jullie blijven tot hij er weer helemaal bovenop is.'

De jongens zeiden niets. Wat viel er te zeggen na zo'n nacht?

Yannick keek langs de zijkant van het huis in de tuin en zag dat het vuur langzaam uit ging. Het begon opnieuw te rege-

nen en de koude druppels deden de tweeling eraan herinneren dat ze deze nachtmerrie echt hadden beleefd. Yannick
twijfelde of hij echt voorbij was.

Er stak een stevige bries op toen Yannick en Davy achter in
de politiewagen stapten. De zwarte rook steeg boven het
dak van het huis uit en werd in de bries meegevoerd.

De rook met de fijne asdeeltjes van de lijken dwarrelde over
de woonwijken en werd op de wind naar het centrum meegevoerd, waar hij in de regendruppels werd gevangen op
hun reis naar beneden...

Fijne druppels spikkelden op de graven van het kerkhof en
op de aarde eromheen. De regen ruiste in de bladeren en
kletterde op Satans lege hok. Het water liep door kanaaltjes
en geultjes, vond gaten en kieren tussen de zerken en drong
de bodem in.

Een bliksemschicht hulde even het kapelletje in een fel licht.
Het houten kruis op Césars graf zakte scheef weg toen de
aardhoop, waarin het stond geplant, bewoog. Een hand
worstelde zich uit de mulle grond, daarna volgde een arm in
een vuil begrafenispak. In gang vier verschoof een steen met
een dreunend geraas. En ook een in gang vijftien. De donder
overstemde het gekras en geschuif van duizenden benige
handen die de aarde omploegden op weg naar boven, op
weg naar het licht.

Zondag was het Pasen. Het feest van de lente.

Het feest van het nieuwe leven.

SCHOOLMONSTERS Bavo Dhooge

Op Sonny's nieuwe school gebeuren vreemde dingen.
Elke dag moet een andere leerling naar de directeur.
Door deze mysterieuze bezoekjes worden de kinderen
angstaanjagend slim…

SATERGESCHATER Bavo Dhooge

Een vreemde waarzegster spreekt een vloek uit over Jerry.
Uitgerekend over Jerry, die van uitlachen bijna zijn beroep
had gemaakt. Vanaf dan kan Jerry niet meer stoppen met
lachen, hij moet zelfs opgenomen worden in het ziekenhuis.

DE HALLOWEENBABY Nico De Braeckeleer

Thalia vindt Halloween stom. Ze haat het feest en niet het
minst omdat haar kleine broertje Donny op 31 oktober
geboren is. Maar als Thalia op de ochtend van Halloween
ontwaakt, is haar broertje verdwenen. En dat is niet eens
het vreemdste.

SKELETTENDANS Nico De Braeckeleer

De opa van de dertienjarige Toby is monsterjager.
Wanneer Toby na de dood van zijn opa in diens voet-
sporen treedt, raakt hij al vlug verzeild in een ijzing-
wekkend avontuur.

VAMPIERMANIEREN Guy Didelez

Stijn en zijn zusje moeten de nacht doorbrengen in het
kasteel van meneer De Graef. Al snel wordt duidelijk dat er
met die kasteelheer iets aan de hand is. Hij vertoont bijna
alle kenmerken van… een vampier!

HET INFERNAAT Didelez & Bernauw

Deborah is een onmogelijk kind: niet alleen is ze koppig en onhandelbaar, ze heeft ook een ontspoorde fantasie. Aldus haar ouders die hun dochter in Pauperzele op internaat willen.

NACHTBLIND/DAGBLIND Guy Didelez

In dit boek met twee covers volgen we de bloedstollende avonturen van Lisa, Axel en Jonas. Geheimzinnige bood-schappen van moordenaars, toekomstvoorpellende kaar-ten...

KADAVERGEDAVER Guy Didelez

Nederoverachteronderbeek. Zo'n typisch plaatsje waar nooit veel gebeurt. Maar vandaag beleeft het één van de gedenkwaardigste dagen. Het is of de duivel er zelf de hand in heeft!

BLOEDMAAN Nico De Braeckeleer

November. Volle maan. Bloedmaan. Een tijd voor magie, en het eren van alles wat gestorven is.
Maar sommige duistere figuren die 's nachts op aarde rondsluipen zijn onsterfelijk. Ze volgen de lokroep van de maan en vallen mensen aan.

LEVEND LIJK Guy Didelez

Lien heeft nachtmerries over een angstaanjagende man in een zwarte kapmantel. In de kerstvakantie gaat ze met haar zusje Tessa logeren op het kasteel van hun tante Nicole. In het kasteel hangt een schilderij met de figuur uit Liens nachtmerries erop.

JOHAN VANDEVELDE

Hoi!

Dat was spannend!

Uiteraard is dit niet mijn eerste boek en al helemaal niet mijn laatste.
Tussen al wat ik tot nu toe geschreven heb is er voor elk wat wils: van
flitsende sciencefiction over magische fantasy tot avontuurlijke romantiek.
Bezoek dus zeker mijn website op **www.johanvandevelde.be** voor nog
meer spannende boekentips!

Heb je zin in nog meer gegriezel? Dan moet je beslist mijn kortverhaal
De Grimoire van Elphas lezen in **Het Grote Bibberboek**.